천계낭자전

천계낭자전

발　행 | 2023년 8월 9일
저　자 | 하니엘
펴낸이 | 한건희
펴낸곳 | 주식회사 부크크
출판사등록 | 2014.07.15.(제2014-16호)
주　소 | 서울특별시 금천구 가산디지털1로 119 SK트윈타워 A동 305호
전　화 | 1670-8316
이메일 | info@bookk.co.kr

ISBN | 979-11-410-3915-8

천계낭자전

하니엘 지음

CONTENT

작가의 말

본 내용에 앞서 먼저 제 책을 구입해 주신 모든 분과 제 소설을 읽어주실 분들에게 감사의 인사를 전하겠습니다.

천계낭자전은 지금으로부터 2년 전 고등학교 3학년 때 지은 소설입니다. 그리고 대학교를 들어오면서 또다시 1년 동안 여러 공모전을 찾아 다녔고, 그 사이 수정도 몇 번 거쳤으며 새로운 이야기도 추가되었습니다. 그러다가 공모전에 도전 한지 1년 정도 되던 날 드디어 당선이 되었다는 소식을 듣게 되었는데 등단비용을 내라는 말에 덜컥 놀랐습니다. 즉, 알고 보니 저는 흔한 등단비 장사에 걸려든 거였습니다. 충격을 받게 된 저는 열심히 작성하고 애정을 담은 작품을 그런 곳에 넘길 수 없다는 생각이 들어 공모전을 그만두고 차라리 본격적으로 출판을 준비하기로 마음먹었습니다.

학창시절 놀랍게도 저는 글과 관련된 수상을 해본 적도 없고, 그렇다 해서 문학과 관련해서 점수가 높은 학생이 아니었습니다. 사실 어떻게 보면 반에서 떠도는 아무런 특색 없는 학생이었을지도 모릅니다. 그런 제가 과연 책을 출판하여 작가가 될 수 있나 생각이 들었습니다. 그렇지만 끝내 포기하게 된다면 과거의 저에게 기대를 저버린다는 생각이 들어 결심을 실행에 옮기기로 마음먹었습니다. 그래서 이렇게 책을 출판하게 되었네요.

첫 출판까지 2년의 시간이 걸렸지만 여러분들과 만날 수 있다는 생각에 기대가 됩니다. 마치며, 지금까지 작가의 글을 읽어주어 감사합니다.

2023년 7월의 어느 여름날 하니엘

천계낭자전

상편

지금으로부터 몇백년 전 하늘나라 천계에는 새로운 천계왕이 즉위했다. 새로운 임금한테는 직녀라는 어여쁜 딸이 있었다. 베를 잘 짜는 직녀공주는 자신의 사촌이자 성실한 목동 견우를 신랑으로 맞이하였다. 하지만 이들의 아름다운 사랑은 그들을 방탕하게 만들었으며 화가 난 천계왕은 견우를 하늘의 동쪽 끝으로 쫓아내고 결국 그들은 1년에 한번 7월 7일에만 만날 수 있게 되었다. 그렇게 오랜 세월이 흐른 어느 날, 직녀는 임신을 하게 되었지만 천계왕은 어딘가 불안해 보였다.

"아버지. 요 며칠 동안 얼굴이 어둡습니다만. 무슨 걱정이라도 있으신지..."

"내 딸 직녀야. 나는 너무 늙었도다. 먼 훗날 뒤를 이을 손자가 있어야 하지 않겠느냐. 그러니 너의 뱃속에 있는 아이가 아들이었으면..."

"너무 걱정하지 마세요. 우리 삼신할머니께 부탁 해봐요."

아이들의 탄생을 관장하는 삼신. 천계왕과 직녀는 삼신을 모시는 무녀한테 삼신께 이번 자식은 아들로 점지해달라고 부탁하였다. 그렇게 하루가 지나고 이틀이 지나고 사흘이 되던 날이었다.

"삼신님께서는 원래 공주님의 자식을 딸로 낳게 할 운명이었습니다. 하지만 임금님과 공주님의 간절한 마음에 삼신님께서는 아들도

6

같이 낳게 해준다고 했습니다. 직녀공주님께서는 머지않아 쌍둥이를 낳게 될 것입니다."

이 소식을 들은 지 일주일이 지난 후 견우한테 한 전보가 나왔다.

'여보 내가 어젯밤 꿈을 꿨는데 어느 봄날 인간들이 사는 지상에 하늘을 보고 있었어. 멍하니 하늘을 쳐다보고 있었는데 하늘에서 두 개의 소라가 나한테 떨어지는거야.'

전보를 받은 지 며칠이 지난 어느 날 그날은 따스한 봄이 찾아온 날이었다. 마침내 직녀는 남녀 쌍둥이를 낳게 되었다.

"아버지, 기뻐하세요. 대를 이을 아들을 낳았어요. 그리고 예쁘게 생긴 딸도 낳았고요."

"쌍둥이를 낳다니...이 기쁨을 말로 표현할 수 없을 정도로 감격하구나."

"아이들의 이름을 어떻게 정하실 건가요?"

"흐음...오늘이 봄이니까 남자아이의 이름에는 춘(春)이라는 한자를 넣고 사위의 꿈속에 하늘이 언급됐으니 여자아이의 이름에는 공(空)이라는 한자를 사용했으면 좋겠구나."

"그럼 어떤 식으로 채택할 건가요?"

"보자, 요즘 일본이 정말 빠른 발전을 하고 있구나. 이 아이들도 그렇게 발전해 나갔으면 좋겠구려. 그래, 일본식으로 채택하자."

결국 남자아이의 이름은 하루. 여자아이의 이름은 소라로 결정됐다. 그렇게 행복한 시간이 계속될 것만 같았지만 충격의 소식이 나타났다.

"공주님의 아들께서는 시력이 매우 좋지 않습니다. 앞으로 이 안경을 쓰고 다녀야 할 것입니다."

"네? 그게 무슨 소리에요! 우리 아들의 시력이 태어나자마자 저하라뇨! 어서 천계의 의원들을 불러와서 당장 시력을 낮게 해주세요!"

"아쉽지만 왕세자님의 시력은 더 이상 의원들이 낮게 해 줄 수 없습니다. 이 아이는 삼신께서 급하게 점지하게 돼서 부작용으로 시력이 나빠지게 된 것입니다."

"흑흑흑......하루야......정말 미안하다."

태어날 때부터 시력이 나쁜 하루에게 천인들은 늘 걱정하였다. 하지만 그들의 걱정과는 달리 하루는 건강하게 자랐으며 자상한 성격과 올곧은 마음을 가졌다. 무엇보다도 그는 검술에 매우 뛰어났다. 덕분에 천인들은 안심할 수 있었다.

하지만 그런 하루한테도 천인들은 시력보다 더한 걱정이 있었는데 바로 하루는 도저히 결혼에 관심이 없다는 것이었다. 한번은 신하들이 하루한테 결혼에 관한 이야기를 말했는데

"저하. 벌써 20살이 넘으셨습니다. 그러니 어서 약혼을 해서 사랑

을 나눠야 성장할 수 있습니다. 계속 그렇게 어린아이의 몸을 가질 수는 없잖아요."

"너희들은 벌써부터 걱정이 많구나. 사랑은 저절로 자연스럽게 찾아오는 거야. 그러니 나도 느긋하게 사랑을 기다릴 거야."

"하루야, 너 거기 있었구나!"

"앗! 소라. 무슨 일로?"

"검술수련 끝났어? 땀이 많이 흘렀네. 이리와 닦아줄게."

"아, 고마워."

"자, 여기 시원한 물도 마시자."

"그러지 뭐. 앗, 잠시만 소라!"

약수터로 향한 소라와 하루. 갈증이 난 하루는 물을 떠서 마시고 있을 때였다. 소라는 작은 바가지로 물을 푸고 하루한테 뿌렸다.

"앗 차가!"

"이렇게 해야 시원하지."

"정말 그럴 것도 같구나. 에잇!"

하루 역시 작은 바가지로 소라한테 뿌렸다.

그 광경을 본 신하들은 천계왕한테 보고를 하였다.

"하루 왕세자님이 소라 왕녀님과 무척이나 사이가 좋아 보입니다."

"저하께서 억지로 사랑을 가지게 하는 것도 그러니 차라리 소라 왕녀랑 잇게 하는 건 어떠신지."

"그래요. 친동생과 이어지니까 오히려 다른 세력이 휘말리지 않게 될 것 아니옵니까."

신하들의 말을 듣고 천계왕은 곰곰이 생각한 후 말했다.

"짐들의 생각을 잘 들었소. 하지만 그렇게 되면 임금의 좋은 본보기가 되지 못할 것이오. 안 되겠소 하루빨리 신붓감을 뽑아야겠소."

이윽고 천궁에는 금혼령이 떨어졌으며 많은 소녀들이 미래의 왕비가 되기 위해 지원하였고 소녀들은 다도, 서예, 수놓기, 베짜기와 예의범절을 보여주었고 내신들은 소녀들을 채점하기 시작했다. 며칠간의 신중한 간택 끝에 마침내 그의 약혼녀가 결정되었다.

"저하의 신부가 결정되었습니다. 어서 나오십시오."

"뭐라고? 나의 상의도 없이 멋대로 신부를 정하다니...관심 없다."

"저하, 그러지 마시고 한번 만나보십시오. 치열한 경쟁 끝에 뽑힌 소녀입니다. 유서 깊은 양반집의 아가씨라서 고귀하고, 예의바르고,

맑은 피부에 밤하늘 같은 까만 머리칼과 사슴 같은 갈색 눈이 얼마나 예쁜지요. 일단 한번 가서 만나보세요."

결국 하루는 미래의 왕비가 될 소녀이자 연인이 될 소녀를 만나게 되었다.

"미리 말하지만 내 상의도 없이 뽑힌 소녀를 좋아할 거라는 생각을 하면 착각......"

하루가 고개를 들고 소녀의 눈을 마주친 순간 그는 이제까지 겪지 못한 감정을 느꼈다.

"안녕하세요. 왕세자님. 만나게 돼서 영광입니다."

"아...저도 만나게 돼서 반갑습니다."

소녀는 고운 한복을 입고 가지런히 양손을 앞에 모은 채 서 있었다. 하루는 소녀를 보면서 계속 얼굴을 붉혔지만 소녀는 하루를 보면서 계속 미소를 지었다.

"아, 그렇게 계속 서있지 말고 일단 안으로 들어오시는 게 어떠신지..."

"그러죠. 그럼 실례하겠습니다."

방안으로 들어간 소녀. 하루는 여전히 소녀한테 처음 겪는 감정을 경험하고 있었다.

"저...그대의 이름은 어떻게 되시는지..."

"소첩의 이름은 장미리내라고 합니다."

"미리내라...무슨 의미입니까?"

"소첩의 한자는 용천(龍川)입니다. 용천을 다른 말로 말하면 미리내고요. 소첩이 태어나기 전 부모님께서 은하수 위에서 용을 만나는 꿈을 꾸어서 저를 미리내라고 지었습니다."

"그렇군요...미리내 낭자, 정말 아름다운 이름이군요."

"감사합니다. 저하."

그리하여 하루 왕세자는 아리따운 신부를 맞이하고 행복한 시간들을 보내었다. 과연 이들의 앞날은 어떻게 될 것인가...

천계낭자전

중편

아름다운 여자를 얻게 된 하루 왕세자. 그는 정말 행복한 남자였다. 천인들은 이 둘에 대해서 이렇게 말하였다.

"왕세자비님 같은 가인을 두기에는 저하께서는 너무 평범한 얼굴이야."

"그렇지만 저하께서는 평범한 얼굴을 갖은 대신 갖은 재주들을 갖췄지. 그런 남자를 만난 왕세자비님은 정말 복 받았어."

하루가 미리내를 만나고 약혼을 하고 벌써 1년이 지났다. 그날은 계절마다 한번 인간 세계에 방문할 수 있는 날이었다.

"오늘은 이번계절에 인간세계에 방문할 수 있는 날이야. 어디 방문하고 싶은 데 있니?"

"아...소첩은 조선을 방문하고 싶습니다."

"뭐? 조선이라고? 거기는 지금 위험한 곳일 텐데...다른 데는 없니?"

"없습니다. 소첩은 조선을 방문하고 싶습니다."

"낭자...그럼 거기로 가자. 조선으로."

"아, 조선으로 가기 전에 이것을 챙겨 주세요."

"이건 책이잖아. 이렇게 많은 책을 왜 챙기려는 거니?"

"다 이유가 있습니다."

많은 책을 싸간 하루와 미리내는 조선의 한 학교로 향하였다.

"낭자, 이곳은 어디?"

"이 곳은 이화학당입니다."

"조선에도 이런 학교가 있었구나."

이화학당에 도착한 하루와 미리내. 그 때 학교에서 이들을 본 어린 여학생들은 기다렸단 듯이 그들에게 몰려들었다.

"미리내 아가씨, 보고 싶었어요."

"오늘은 무슨 선물을 가져오셨습니까?"

"왜 아저씨랑 아주머니는 안 오셨습니까?"

미리내는 여학생들한테 미소를 지으며 대답했다.

"오늘은 특별히 저의 남자친구를 데려왔습니다. 모두 인사하십시오."

"아, 모두 만나서 반가워요. 제 이름은 임하루라고 해요."

미리내의 말과 동시에 모두 일제히 하루를 쳐다보았다.

"안녕하세요, 얼굴에 쓰고 있는 게 뭐에요?"

"이거요? 안경이오."

"신기하다. 저도 한번 써보면 안 되겠어요?"

"네? 그건 곤란하오."

그런 여학생들의 행동에 하루가 부담스러워 하고 있을 때 미리내가 말해주었다.

"처음 만나는 분에게 그러면 아니 되옵니다. 오늘 저희가 여러분에게 줄 선물은 책입니다. 모두 독서를 통해서 지성을 갖추길 바라며 미래를 지켜내 주세요. 그럼 모두 안녕히 계십시오."

"감사합니다. 아가씨"

이화학당에 책을 전달한 후 담소를 나누며 거리를 산책하게 된 두 사람. 미리내의 행동에 호기심이 간 하루는 질문을 하기 시작했다.

"언제부터 이 아이들에게 선물을 나눠주기 시작하게 된 거야?"

"5년 전부터 가족들과 함께 학생들에게 줄 선물을 준비하였고 부모님이 직접 조선으로 내려가 선물을 나누어 주었습니다. 소첩은 작년에 이곳을 들려 부모님과 함께 선물을 나누어주었습니다. 소첩은 그때 선물을 받은 아이들의 미소가 아직도 생각납니다. 그래서 올해는 서방님과 같이 나눠주고 싶었습니다. 또 이곳을 방문시키고 싶었습니다."

"방문시키고 싶었다고? 특별한 이유가 있어?"

"서방님은 이곳을 위험한 곳이라는 이유로 한 번도 가지 않으셨죠?"

"그렇지...어렸을 때부터 신하들은 조선은 위험한 곳이라고 말했지...하지만 오늘 이곳에 와보니 그리 위험한 곳인 것 같지 않아 보여."

그 말이 끝나기도 채 갑자기 어디선가 큰 소리가 들려오기 시작했다.

"빨리 움직이란 말이야! 이것들아!"

그 말을 한 사람은 조선 사람들의 집에 쳐들어가 가엾은 소녀들을 데려가는 일본군들의 소리였다.

"헉! 저게 도대체 무슨 일이야! 안 되겠다. 저들을 혼내주어야겠어."

하루가 나서려는 그때 갑자기 미리내가 그의 옷깃을 잡기 시작했다.

"왜 그래? 아니, 무슨 일 있어?"

미리내는 식겁한 표정으로 대답했다.

"서방님......죄송하지만 어서 다른 곳으로 도망쳐야 합니다."

미리내의 대답에 하루는 그녀를 데리고 그곳에 빠져나왔다. 한참을 달리자 두 사람은 커다란 나무 한 그루가 심어진 언덕에 다다렀다. 하루는 미리내를 나무 아래에 앉혀놓았다.

"괜찮아? 어디 안색이 안 좋아 보이는데."

"서방님...아까 그들은 죄 없는 소녀들을 일본으로 데려가서 강제노동을 시키려는 사람들입니다. 소첩이 만약 그들에게 보일 경우 소첩도 그 소녀들과 같이 끌려가게 될 것입니다."

"저런 나쁜 것들! 내가 가서 당장 혼내주려 가야겠어."

"안 됩니다 서방님. 저들은 강력한 무기를 갖추고 있사옵니다. 서방님 혼자서 싸우려다가 도리어 봉변을 당할 수도 있습니다."

"아...그렇구나...참 아쉬운 일이구나..."

하루와의 대화를 하다 보니 미리내는 어느 정도 안정을 되찾았다.

"어느 정도 괜찮아진 모습이네. 여기서 가만히 쉬고 있어. 내가 바로 아래에 내려와서 먹을 것을 찾아올게."

"감사합니다. 서방님."

하루가 내려가자 미리내는 아까 전에 보았던 끌려간 소녀들을 걱정하였다.

'가여운 소녀들. 시대를 잘못 태어났구나. 더 이상 희생자가 생겨나지 않게 할 수 있는 방법이 없을까...'

미리내는 오늘 본 소녀들을 걱정하며 노래를 부르기 시작했다.
아리랑 아리랑 아라리요
아리랑 고개로 넘어 간다
나를 버리고 가시는 임은
십리도 못가서 발병난다

그 때 일본군인 몇 명이 미리내의 손을 붙잡기 시작했다.

"참 예쁘게 생긴 아이구나. 데려가야겠다."

그들은 바로 죄 없는 소녀들을 일본으로 데려가려는 일본군이었다. 당황한 미리내는 그들에게 소리치기 시작했다.

"당신들 뭐에요! 어서 이 손을 놓지 못하겠어요!"

"일본어도 할 줄 아는군. 넌 내가 답답해할 필요가 없겠군."

"당장 저리 가세요! 꺄아아악!"

"무슨 여자가 이렇게 고집이 쎄! 이봐 당장 이 소녀를 당장 들어

올려!"

명령을 들은 부하 군인은 미리내의 손을 강제로 잡은 채 끌고 가기 시작했다.

"아, 조선에 이렇게 아름다운 소녀가 있었다니. 태양의 여신 아마테라스가 환생한 것 같군. 그냥 가두어놓기에는 아까운 여자야."

"이 아이는 특별히 가두어놓지 말고 게이샤로 키워서 대장께 바치는 게 어떨까. 그것도 아니면 막내 도련님의 첩으로 삼아도 되겠네."

군인들의 말에 화가 난 미리내는 그들에게 소리치기 시작했다.

"입 다무십시오! 제가 무슨 이유로 당신들 같은 더럽고 썩어빠진 것들에게 아양을 떨어야 하옵니까?!"

"뭐?! 더럽고 썩어빠진 것들! 너 이년! 기껏 너에게 금쪽같은 기회를 마련해 주려 하는데, 그것을 네년 스스로 발로 차려 하다니! 어리석구나!"

"저는 당신들의 도움 같은 건 필요 없사옵니다! 정 저에게 기회를 주고 싶으면 지금 저를 잡고 있는 이 손부터 놓으시옵소서!"

결국 화가 난 군인들은 미리내를 내치기 시작했다. 그리고 미리내 앞에서 칼을 내세웠다.

"겁도 두려움도 없는 지지배! 죽고 싶어서 환장하는 게냐! 예의는 어디서 팔아먹은 게냐!"

"그럼 그대들이야 말로 겁과 두려움이 없어졌사옵니까?! 그 누구보다도 피해를 주고 싶지 않는 예절도 잊으셨습니까?! 미래에 당신들의 후손이 당신들의 만행을 알아야 하는 사실이 슬프지 않습니까? 그대들의 만행으로 인한 이웃나라와의 관계가 걱정되지 않습니까?"

"이 버르장머리가 없는 조센징이 다 있냐! 당장 천황 폐하 만세라고 외쳐라! 그럼 목숨만은 남겨주겠다."

"중요치도 않는 자에게 왜 제가 존경을 표해야 합니까? 정 그 말을 듣고 싶은 거라면 당신의 하찮은 부하들에게 시키십시오!"

화가 난 중장군인이 미리내에게 칼로 쳐내려 할 때였다. 그 때 어디선가 군인들에게 소리치는 소리가 들렸다.

"당장 내려놓지 못해! 너희가 뭔데 나의 여자한테 손을 대는 거야?!"

"넌 또 뭐야?! 조선옷을 입고 뭐 하는 짓이야?! 가서 공부나 할 것이지. 이딴 조선 여자랑 친해져서 뭐하게!"

"뭐, 뭐라고?"

소장군인은 하루를 일본인 소년으로 보는 것 같았다. 당연히 하루는 당황할 수밖에 없었다.

"미안한데, 난 일본인이 아니라고!"

이때 하루는 미리 준비했던 최루탄을 던져 군인들의 시야를 방해했다. 이 때 하루는 미리내의 손을 잡고 달아나기 시작했다.

"뛰어! 미리내!"

하루는 미리내의 손목을 잡고 도망치기 시작했다.

"저런 고얀 놈 같으니라고! 어서 저들을 잡아!"

부하군인들은 화를 내며 달려가기 시작했다. 다행히 먼저 달아난 두 천인은 한 건물에 몸을 숨긴 덕분에 군인들에게 들키지가 않았다.

"서방님! 당장 천계로 돌아가요!"

"그래야겠어. 계속 여기 있다가는 우리가 저승으로 가게 될 거야." 무사히 천계로 귀환한 두 사람. 소라가 대문에서 기다리고 있었다.

"하루, 어디 갔었어?"

"아, 조선에 갔었어."

"조선?! 그 위험한 데를? 무슨 일로?"

"학교에서 공부하는 학생들에게 책을 나눠주었지. 모두 미리내의 일이지."

하루의 대답에 소라의 표정이 안 좋아지기 시작했고 미리내는 피곤한 기색을 보였다.

"오늘 정말 죽을 위기였어요."

"그래...정말 위험했지. 피곤했을 테니 방에 들어가서 쉬고 있어."

미리내가 나가자 소라는 방으로 들어가는 그녀를 노려보기 시작했다.

'천계에서 어느 양반집에서 조선에 가서 조선놈들에게 선물을 주며 친절을 베풀며 그들의 독립에 힘을 쓰는 집안이 있다 하였는데 그 곳이 바로 저년이 집안이었군. 발칙한 것, 네년이 왕가를 꼬시며 조선을 해방시켜 일본제국의 성장을 방해하겠다. 내가 가만히 있을 줄 알아!'

미리내에게 분을 사게 된 소라. 그날 이후 미리내의 암울한 생활이 시작되었다.

소라는 미리내가 정원에서 혼자 산책하고 있을 때 다리를 거는 것부터 시작해 미리내가 동궁으로 들어갈 때 아무도 없으면 화를 내며 쫓아내거나 그녀의 다과상을 엉망으로 만들거나 그녀가 만든 시화나 서예를 망가뜨리는 등의 행동을 못된 행동을 하기 시작했다.

하지만 미리내는 그녀의 행동에 화를 내거나 서러워 울려고 하지 않았으며 다른 사람을 만날 때면 애써 미소를 짓는 등 인내심을 가지며 참아가고 있었다. 한번은 그녀의 시녀 나래는 그녀에게 왜 부모님이나 서방님에게 소라 왕녀가 한 행동을 이르지 않느냐는 말에 미리내는 이렇게 대답했다.

"저는 미래의 왕후가 될 몸입니다. 이까짓 일도 참아낼 줄 알아야 합니다. 무엇보다 서방님과 부모님께서 제가 힘들다는 걸 알면 오히려 걱정을 하게 되지 않겠습니까? 당신도 너무 걱정하지 마십시오. 전 참을 수 있습니다."

나래는 그런 미리내의 모습을 보며 늘 안타까워했으며 한편으로는 그녀를 돕고 싶었다. 하지만 나래는 미리내와 달리 아무런 힘도 권력이 없었기 때문에 늘 마음이 애탔다. 기껏 해봐야 소라가 못된 행동을 할 때 소라에게 눈치를 주는 정도였다.

하지만 그렇게 인내심을 가지며 참아가던 미리내가 결국 소라한테 소리치는 날이 나오기 시작했다. 그날은 미리내의 동생 이리내가 천궁에 놀러올 때였다.

"누나, 보고 싶었어!"

"저도 보고 싶었어요. 그동안 잘 지내셨나요?"

"당연하지! 그런데 누나 옆에 있는 사람은 누구야?"

"아, 처음 뵙겠습니다. 저는 선녀 견습생 류나래라고 합니다. 지금은 아씨의 시녀로써 일하고 있습니다."

"아, 그렇군요. 만나서 반가워요!"

이리내는 누나인 미리내와 그녀의 시녀 나래와 궁전을 돌아보고 있을 때 그 때 소라가 그들을 마주쳤다.

"어머, 미리내. 여기서도 만나네."

"네...그렇네요."

"누나, 저분은 누구야?"

"도련님. 저분은 하루 왕세자님의 여동생인 소라 왕녀에요. 어서 인사하세요."

"그럼 누나의 시누이겠네. 안녕하세요. 제 이름은 장이리내라고 해요."

인사와 함께 소라의 손을 잡은 이리내. 하지만 소라는 그의 손을 뿌리치며 밀치기 시작했다.

"아얏! 아파!"

"도련님 괜찮으세요!"

소라의 행동에 이번에는 미리내가 화가 났는지 그녀는 목소리를 낮추어 소라에게 묻기 시작했다.

"아가씨...도대체 저를 못살게 구는 것도 그렇고 왜 아무런 행동도 하지 않는 제 동생한테까지 이러는 겁니까?"

"그걸 몰라서 묻는 거야? 너 집안이 매 분기마다 조선에 내려가서 조선놈들에게 선물을 준다며."

"그게 도대체 어쨌는데요."

"너희 집안이 하는 짓으로 인해 일본제국의 성장에 걸림돌이 되게 만들잖아! 이 꼴보기 싫은 것들아!"

"뭐라고요! 그럼 아가씨야 말로 저런 못돼먹은 일본의 행동에 찬성한다는 소리입니까?!"

"당연하지. 일본제국을 성장시키며 이 세계를 장악해서 다른 대륙의 권력들을 손에 넣게 되는 거지. 그렇게 되면 저 멀리 다른 대륙에 사는 종족들도 다 우리에게 권력을 넘겨주지 않겠는가. 정말로 그렇게 되면 난 그 공로를 인정받게 되고 잘하면 미래의 임금이 될 수 있지. 이제 알겠지. 더 이상 할 말이 없다면 난 간다."

소라가 가자 이리내와 나래는 이제껏 한 번도 보지 못한 미리내의 표정을 보게 되었다. 그 표정은 마치 지옥의 불이 그녀의 눈에 들어간 듯하였다.

"누나, 소라 왕녀님의 말에 신경 쓰지 마. 누나한테는 하루 왕세자가 있잖아."

"그래요. 아가씨가 왕비가 돼서 저 못된 소라 왕녀를 쫓아내면 되잖아요."

"……그래요, 그 말도 맞긴 하지요."

"누나, 괜찮아?"

"아, 전 괜찮습니다. 걱정 마세요. 잠깐 혼자 있고 싶으니, 나래 당신이 저 대신 이리내를 산책시켜 주실래요?"

"아, 알겠습니다."

나래는 이리내를 데리고 산책길을 나섰다.

"저, 시녀 누나, 오늘 누나의 안색이 무척 좋아 보이지 않아 보여. 이러다가 정말로 폭발해서 화를 내는 거 아니야?"

"저도 그렇게 생각해요. 무엇보다 아씨가 화내는 모습을 한 번도 본 적 없기 때문에 더더욱 불안해요."

그 일이 일어난 며칠 후, 그날도 하루는 검술수련을 하고 있었다.

"하, 오늘도 정말 힘든 수련이었군."

그 때 옆에서 소라가 바가지에 물을 떠서 가져왔다.
"하루, 목 말랐을텐데 이거 마셔."

"아, 고마워 소라."

하루가 물을 마시고 있을 때 소라의 기분은 어딘가 안 좋아 보였다.

"기분이 안 좋아 보이네. 무슨 일 있었어?"

"그냥...너무 외롭다랄까..."

"외롭다니? 무슨 소리야. 너한테 주변사람이 얼마나 많은데 벌써 부터 외롭다는 소리야."

"하루는 몰라서 그렇지. 내가 얼마나 외로운데. 할아버지는 나랏일 을 하시느라 바쁘고 할머니는 복숭아 농장을 관리하느라 바쁘고 엄마는 베를 짜느라 바쁘잖아. 게다가 아빠는 멀리 계시고"

"그 대신 너한테는 좋은 친구들이 있잖아."

"그러기야 하겠지만...친구와 외로움이 없어진다 한들 가족과의 외 로움은 없어지지 않아. 가족과 친구와의 사이는 엄연히 다르다고"

"그러겠네......소라도 나름 외로웠었구나."

"그러니 부탁이 있어."

"뭔데?"

"오늘 하루 동안 너랑 같이 놀아줄 수 있어?"

"그러지 뭐. 그동안 너랑 같이 못 놀았으니 오늘은 나랑 마음껏 놀자."

"그래, 좋아."

하루는 소라를 데리고 자신의 방으로 향하였다. 그리고 그들의 대화랑 방에 들어가려는 모습까지 미리내는 남몰래 지켜보고 있었다.

방으로 들어간 하루와 소라. 소라는 수련하느라 힘든 하루의 어깨를 주물러주기 시작했다.

"하루, 오늘 너무 힘들었지? 내 어깨마사지 받으니까 어때?"

"좋네. 생각해보면 우리 둘 진짜 많이도 놀았는데 한번은 우리가 궁녀들을 놀래킨 적도 있었는데."

"그래, 맞아. 그때 궁녀들 표정 진짜 웃겼는데."

"있잖아 만약 우리한테 동생이 생긴다면 소라는 어떻게 해줄 거야?"

"하루는 동생이 생겼으면 좋겠어?"

"그렇다기보다는...요즘 엄마가 또 아이를 낳고 싶어 하길래."

"난 동생생기기 싫어. 난 여전히 막내이고 싶다고. 동생이 생긴다면 하루는 그 아이한테 더 잘해줄 거잖아."

"에, 그럴 리가. 동생이 생겨도 절대 소라를 혼자 두게 하지 않을 거야. 공평하게 대할 거야."

"응, 고마워 하루."

"저, 소라 갑자기 궁금한 건데. 소라는 커서 어떤 남자를 만나고 싶어?"

"남자? 내가 원하는 남자라......그건 바로......."

소라가 갑자기 어깨를 주물리는 걸 멈추더니 그녀는 겉옷을 풀어 해친 후 하루에게 다가갔다.

"그건 바로 여기 있지."

그러면서 하루를 침대에 눕히더니 그녀의 입술이 그의 얼굴에 향하기 시작했다.

그 시각 하루의 심부름을 받은 선녀는 하루의 방에 다과상을 가져가고 있었다. 그 때 미리내가 선녀를 기다린 듯 그녀랑 마주쳤다.

"거기, 잠시만요. 그 다과상 어디에 가져가는 겁니까?"

"아, 이거요. 저하께 가져가는 겁니다."

"그 다과상 제가 가져갈게요."

"네? 아, 알겠습니다."

다과상을 들고 하루의 방에 들어간 미리내는 소라의 행동을 결국 보고야 말았다.

천계낭자전

하편

"미...미리내 낭자...여기에는 무슨 일로?"

갑작스러운 미리내의 방문에 하루와 소라는 매우 당황한 눈이었다. 미리내는 충격을 받았는지 들고 있는 다과상을 떨어뜨리고 말았다.

"서방님......지금 이게 무슨......"

"미리내, 오해야. 네가 생각하는 그런게......"

하지만 분을 이기지 못한 미리내는 결국 그의 뺨을 때렸다.

"하야시는 입 다무세요!"

난생 처음 자신에게 성을 부른 미리내의 모습에 하루는 겁을 먹었다. 그러면서 서서히 소라에게 향하며 이제껏 분출한 적 없는 분노를 그녀에게 내뱉기 시작했다.

"이 정신 나간 것 같으니라고. 전 당신의 행동을 늘 참아왔고 당신의 몹쓸 행동을 누구에게 말하지 않았어요. 전 늘 인내심을 가졌었어요. 그런데 당신이 오늘 그 인내심이 부서뜨리고 말았어요."

이 말을 한 후 미리내는 당장 그의 방에 뛰어나갔다. 미리내가 나가자 궁 안에 있던 사람들이 모두 놀란 토끼 눈을 하며 그들을 바라보았다.

슬픔과 분노로 가득 찬 미리내는 자신의 처소에 들어갔다. 미리내가 방문을 닫자 갑자기 방에 있는 물건들을 짚이는데로 던져대며 악을 지르기 시작했다. 그녀의 처소 근처에 있던 선녀들은 처소에 있는 소리에 겁을 먹기 시작했다.

"내가...내가 저딴 것을 보기 위해 이런 고생을 했단 말인가!"

한참의 난동을 피우자 미리내는 자신의 방에 있는 거울을 보며 말하였다.

"그래, 소라 왕녀. 당신이 이기나 내가 이기나 한번 해보자."

그날 밤. 미리내는 결국 천계에서 금기한 저주에 손대고 말았다. 그녀가 선택한 저주는 살아있는 인형놀이. 이 저주는 소원을 들어주는 대신 자신의 목숨을 대가로 치루는 무시한 저주였다. 미리내는 착상 한가운데 짚신인형을 놓고 양옆에 거울을 놓았으며 인형의 앞에 촛불을 켠 후 저주의 주문을 외치기 시작했다.

"제 이름은 장미리내입니다. 당신에게 새로운 몸을 드리겠습니다. 부디 받아주시옵소서."

첫 번째 의식을 마친 후, 어디선가 손가락이 꺾는 소리가 들려왔다. 미리내는 가지고 있던 술을 인형에게 바치며 두 번째 의식을 행하였다.

"저를 찾아주세요. 찾아주신다면 생명을 드리겠습니다."

두 번째 의식을 마치자 촛불이 꺼지더니 하얀 모습의 소녀귀신이 나타났다.

"후훗, 나 같은 조선귀신을 소환하다니, 정말 굉장한 힘을 가진 자로구나. 그래, 무엇을 원 하는가 소녀여."

"......일본을 망하게 해주세요."

"뭐 일본을 망하게 해달라고? 진심인가?"

"네. 하루빨리 패망하게 해주세요."

미리내의 대답에 소녀귀신은 환한 미소를 지었다.

"그래, 그거야 말로 내가 진정 원하는 것이야."

"네? 그게 무슨 말씀이신지."

"고맙구나. 덕분에 이제 난 승천할 수 있을 거다."

"실례지만 그대께서는 생전 무슨 일이 있었습니까?"

미리내의 질문에 소녀귀신은 잠시 자신의 생전을 생각하더니 분과 한이 담긴 목소리로 대답했다.

"난 본래 경성에서 멀리 떨어진 시골에서 살았던 소녀였었지. 하지만 좆같은 일본군들이 나의 아버지를 교회에 데려가서 그곳에 불을 질러 아버지를 죽인 후 우리 집을 깽판을 쳐놓았지. 나의 어머니는 이 일로 충격을 받아 죽고 말았고 다른 형제자매들은 모두 일본군에게 끌려갔어. 결국 혼자 살아남은 나는 나랑 비슷한 처지인 고향 친구들과 함께 품팔이를 하게 되었어. 어느 날 난 친구들과 함께 떠돌아다니는 중 재수 없게 일본군과 부딪치고 말았지. 난 곧바로 일본말로 그들에게 사과했지만 그 새끼들은 내가 그저 쳤다는 이유로 길거리에서 나를 총살을 하고 말았지. 여기 가슴의 구멍은 그때 맞은 총살자국이야."

소녀귀신이 저고리를 풀어 해치더니 정말로 가슴 한가운데 자국이 있었다. 미리내는 그 모습에 소스라치게 놀랐다. 소녀귀신은 주먹을 쥐며 소리쳤다.

"그래, 나도 폐 끼치는 게 싫었어! 폐 끼치고 싶지도 않았다고! 나도 그저 조용히 넘어가고 싶었다고! 원치 않는 실수 때문에 이렇게 죽어야만 하는 거야! 나도 너희들 생활을 이해한다고! 하지만 네놈들은 나의 실수는 이해해주지 못해주는 게냐! 너희의 인생은 중요하고 내 인생 따위는 사라져도 괜찮은 거냐고!"

과거를 생각하게 된 소녀귀신은 땅을 치며 울어대기 시작했다. 이 모습에 미리내는 마음속에 독백을 외쳤다.

'불쌍한 귀신이여, 돌아가신 부모가 그대의 죽음에 대한 소식을 들으면 어떤 표정을 지을지......생각만 해도 막막하군요. 이제 그대는 인간 세상에 이름도 없이 기억 속에 잊혀지고 말겠지. 인간들은 늘 귀신을 무서워한다지만, 정작 그들은 제일 무서운 존재를 잊고 있는 것 같소. 이대로 가다가는 귀신이 인간의 목숨을 뺏는 것이 아닌 인간이 귀신의 영마저도 뺏을지도 모르오.'

어느 정도 정신을 차린 소녀귀신은 또다시 말을 이었다.

"이후 나의 육체는 어디 있는지 모르겠어. 하지만 나는 결국 일본에 대해 엄청난 한이 생긴 나는 이렇게 귀신이 되고 말았어. 귀신이 된 나는 일본에게 복수하고 싶었지만 누군가가 나한테 부탁을 하지 않는 한 나는 아무것도 할 수 없는 존재야. 그래서 일본이 망하는 날을 항상 기다리게 되었지. 이제 드디어 복수의 순간이 오는구나."

소녀귀신의 한 많은 사연을 들은 미리내는 마음속에 충격을 받았다. 아마 인간 세상에는 소녀귀신 같은 혼이 한둘이 아니라는 사실에 매우 서글픈 감정을 느꼈다.

"아무튼 잘되셨군요. 그럼 저의 목숨은 언제 가져가실 건가요?"

"필요 없어. 난 언제나 그대가 원하는 소원이 나타나기를 기다렸어. 그러니 너의 목숨은 특별히 받지 않겠어."

소녀귀신은 뒤로 돌아 음흉한 표정을 지으며 말했다.

"기다려라 왜놈들아, 내가 곧 지옥으로 만들어줄게."

소원을 받은 소녀귀신은 저 멀리 있는 미국의 대통령 트루먼의 꿈속에 들어갔다. 그날 트루먼은 일본이 계속 고집을 부러 항복을 선언하지 않자 매우 화가 났던 상태였다. 그는 꿈속에서도 어떻게 하면 일본을 항복하게 할까를 고민했다.

"하...어떻게 하면 일본의 항복을 받아낼 수 있을지 고민이군."

고민하는 트루먼 옆에 소녀귀신은 그의 옆에서 속삭였다.

"무엇을 고민합니까. 당신들이 가진 최고의 무기를 사용하면 되지 않겠습니까? 그렇게 되면 일본의 항복을 받게 되는 것은 물론이고, 그 동안 이 땅을 괴롭히던 모든 나라가 무릎을 꿇게 될 것입니다."

소녀귀신을 만난 후 미리내는 방에서 나오지 않았다. 하루 왕세자가 직접 찾아가 그녀에게 몇 번이고 사과를 했지만 미리내의 대답은 묵묵부답이었다. 그러던 어느 날 밤. 소녀귀신이 또다시 미리내에게 찾아갔다.

"잘 지냈니? 이제 곧 있으면 히로시마는 잿더미가 되고 말거야. 아 얼마나 감격한 순간인가."

"히로시마가 잿더미라뇨? 그게 무슨 소리입니까?"

"바다건너 미국이라는 곳에서 사는 이들이 일본에서 강력한 폭탄을 내린다 하더라. 그 폭탄을 내리는 순간 히로시마는 끝장이야."

소녀귀신의 말에 미리내는 잠시 깊은 생각에 빠졌고 이윽고 그 생각을 실행에 옮겼다.
8월이 시작된 날. 나래는 소라한테 미리내의 편지를 건넸다.

"왕녀님, 아가씨가 전한 편지에요."

"편지? 맨날 방에만 틀어박히는 것이 무슨 편지야?"

소라가 편지봉투를 열더니 편지 속 내용은 이러하였다.

'8월 6일 히로시마에서 만납시다.'

"대체 무슨 꿍꿍이지?"

8월 6일 히로시마로 간 소라. 그날은 더운 여름날이었다. 그날의 히로시마는 다른 날과 평범한 날이었다.

"도대체 왜 히로시마에서 만나자는 거지? 후훗, 그건 그렇고 여기 진짜 오랜만에 가보네."

그러나 평범할 것 같았던 여름날의 아침 하늘에 한 비행기가 나타나더니 어떤 물체를 떨어뜨렸다. 그때 소라의 얼굴에는 공포가 차기 시작했다.

"잠깐...저 물체는 설마......폭탄!"

소라의 말이 끝나자 그녀의 눈앞에 미리내가 나타났다. 미리내는 자신의 죽음을 예고하며 온 듯 풀어 해친 머리에 검은색 상복을 입고 있었다.

"이제 알겠다. 이 모든 게 전부 네년이 꾸민 짓이구나. 크헉!"
소라가 미리내를 때릴러고 할 때 미리내는 단도로 소라의 옆구리를 찔렸다.

"이 모든 것은 당신의 행동의 대가입니다..."

"크흑...이년이......"

소라 역시 질세라 미리내를 힘껏 밀치자 미리내는 쓰러졌다. 폭탄이 지상에 맞붙였을 때 미리내는 자신의 죽음을 직감할 수 있었다.

'이제 난 죽게 되겠지......아버지, 어머니. 먼저 간 불효막심한 저를 용서하세요. 할아버지, 할머니. 부디 소녀의 몫까지 사셔서 만수무강하세요. 내 동생 이리내야. 부디 훌륭한 선비가 되어서 천계의 위인이 되어주렴. 시부모님. 좋은 며느리가 되지 못해서 죄송합니다. 아마도 저에게는 천궁이 과분한 자리였었나 봅니다. 면목이 없사옵니다. 그리고 서방님...서방님...죄송합니다, 소첩은 먼저 갑니다. 좋은 아내가 되어주지 못해서 미안합니다. 부디 죄 많은 소첩을 잊고 천생연분을 찾으시옵소서. 하지만 소첩이 어떤 모습으로 환생하든지 어떤 지옥에 있더라도 소첩은 여전히 당신을 사랑합니다.'

그 후 천지에는 폭발음과 연기로 가득 차게 되었으며 미리내는 자신의 유언을 남겼다.

"...대한 독립 만세..."

천계낭자전

후회

히로시마가 폭탄이 떨어진 그 순간, 천계에서는 커다란 청동거울을 통해 천계왕과 수많은 천인들이 잿더미로 변해버린 히로시마를 지켜보았다. 무너져버린 건물과 끔찍하게 변해버린 사람들을 보고는 천인들은 큰 충격에 빠졌다.

"이럴 수가...수백년동안 인간세계를 지켜보았지만 이렇게 끔찍한 상황은 처음이군."

옆에 있던 천계왕후 역시 피폐해진 히로시마를 보고 충격의 한마디를 하였다.

"저 역시 이런 끔찍한 상황은 처음입니다. 지금의 인간들은 더 이상 우리의 도움을 필요로 하는 약한 생물로 볼 수가 없겠어요."

그때 선녀들이 당황한 표정을 지으며 헐레벌떡 천계왕한테 다가왔다.

"폐하, 큰일입니다. 소라 왕녀님이 안 보입니다."

"미리내 왕세자비님께서도 보이지 않습니다."

"그게 무슨 소리냐, 두 아이는 갑자기 사라질 아이들이 아닐 텐데..."

그 때 뒤이어 미리내의 시녀 나래가 통곡을 하며 천계왕에게 다가 갔다.

"폐하, 큰일입니다. 아씨가...아씨가 유서를 남겼습니다."

"유서라고?! 어서 편지를 읽어봐라!"

미리내의 유서는 사실 하루에게 보내는 편지였다. 편지의 내용은 이러했다.

'서방님...그동안 방에서 나오지 못해서 죄송합니다. 사실 소첩은 그 속에서 죄를 짓는 행위임을 알고 있음에도 저주를 사용하여 일본의 패망을 저주하고 당신의 여동생 소라 왕녀를 죽일 계획을 하고 있었습니다. 서방님의 누이를 죽이려던 것에 대해 용서를 빌지 않겠습니다. 소첩은 당신의 여동생뿐만 아니라 무고한 시민들을 저세상으로 보내버릴 테니까요. 아마 이 편지를 읽고 있을 때 소첩은 지금쯤 저승에서 벌을 받고 있을 겁니다. 많은 사람들을 죽인 이 행동을 아마 용서할 수 없을 겁니다. 그렇지만 소첩은 죽음을 각오하고 꼭 이 행동을 해야만 했습니다. 소첩은 일본의 도 넘은 행동에 도저히 참을 수가 없었습니다. 일본을 저대로 두면 저들은 더 많은 사람들을 죽이고 전쟁은 계속 지속되고 약한 나라는 발전도 못한 채 더욱더 악화되어 인간세상은 부정부패와 싸움 그리고 온 세상이 그들만의 세상이 될지도 모릅니다. 그래서 소첩은 일제에 찬양하는 당신의 동생을 죽일 수밖에 없었고 무엇보다 더 이상 조선이 망해가는 것을 두 눈으로 지켜볼 수가 없었습니다. 소첩은 제 목숨을 바쳐서라도 조선을 구하고 전쟁을 멈추고 싶었습니다. 부디 소첩의 뜻을 이해해주십시오. 그럼 안녕히 계십시오. 좋은 아내가 되어주지 못해서 죄송합니다. 이제 소첩을 잊고 천생연분을 찾으시

옵소서.'

미리내의 편지에 천계왕은 충격을 받으며 말하였다.

"말도 안 돼! 그럼 소라와 미리내는 저 폭탄으로 인해 죽었단 소리인가!"

자신의 딸과 며느리의 죽음 소식에 직녀는 그만 쓰러지고 말았다. 이에 놀란 천계왕후는 그녀의 몸을 흔들며 소리치기 시작했다.

"아니, 직녀야! 괜찮느냐?! 여봐라, 어서 의원을 부르거라!"

쓰러진 직녀는 하인들의 부축을 받으며 방으로 들어갔고 사랑하는 손녀와 손자며느리를 잃은 천계왕은 통곡을 내며 말하였다.

"이게 모두 내 탓이오. 나의 부주의로 인해 이런 일이 일어나고 말았소."

천계왕후도 눈물을 말하였다.

"여보, 진정하세요. 지금 소라랑 미리내는 저승으로 가고 있습니다. 어서 이들을 위해 장례부터 준비합시다."

"그래야겠소. 당장 하루를 불러와라."

한편 그날 하루는 자신의 방에 독서를 하고 있었다. 그러자 헐레벌떡 다가오는 대여섯명의 하인들에 의해서 그 시간이 깨지게 되었다.

"저하! 큰일입니다!"

"뭔데 그렇게 소란스럽게 달려오는 거냐?"

"충격 받지 말고 들어주세요. 오늘 아침에 히로시마에서 터진 폭탄으로 인해 소라 왕녀님과 미리내 왕세자비님이 저승으로 갔습니다!"

"뭐라고! 그 말은 즉 작고했단 소리인가?!"

"......네. 그렇습니다. 미리내 왕세자비님께서 돌아가시기 전 저하께 편지를 읽었습니다. 한번 읽어보세요."

미리내의 편지에 하루 역시 자신의 행동에 대성통곡을 하며 땅을 크게 치며 소리쳤다.

"어찌, 이런 일이! 미리내 낭자, 내가 잘못했어! 부디 나를 용서해주오! 당신 같은 천인을 죽게 만든 나쁜 놈이었소! 낭자! 낭자!"

소라와 미리내의 장례행렬이 일어나게 되었고 동쪽 끝에 사는 견우랑 미리내의 가족들은 다시 입궁하게 되었다. 견우와 직녀를 만난 미리내와 이리내 남매의 아버지 장공명과 어머니 곽씨 부인은 무릎을 꿇고 이들에게 사과를 하였다.

"두 분을 볼 면목이 없군요......우리 딸의 행동으로 두 분의 딸을 잃게 만들었으니까요. 이 못난 부모의 탓입니다."

선비 장공명과 곽씨 부인의 말에 견우와 직녀도 눈물을 흘리며 대답했다.

"그렇지 않습니다. 당신들은 정성껏 딸을 키우셨습니다. 우리 역시 소라의 잘못된 행동을 바로잡지 않은 잘못이 있습니다."

미리내의 영정사진을 본 하루는 그 누구보다도 슬프게 울어댔다. 결국 슬픔에 빠진 그는 칼집에서 검을 꺼내기 시작했다.

"낭자, 20살도 못 넘고 죽다니...이게 말이 되는고...이제 당신이 없으니 내가 무슨 이유로 살아가겠소. 나도 당신을 따라가겠소."

그러고는 자신의 가슴에 칼을 겨누려고 할 때 이리내가 나타나서 하루의 행동을 저지하기 시작했다.

"그만두세요!"

"비켜라, 차라리 저승에서라도 낭자를 만나고 말 것이다!"

"정신 차리세요! 그런다고 바로 누나를 만날 수 있을 거라고 생각하세요?! 주변 천인들과 천계의 미래를 생각하세요!"

"사랑하는 사람도 제대로 지키지 못한 나는 왕이 될 자격 따위 없어!"

"그런 생각 마세요! 누나는 곧 돌아올 거라고요! 다시 태어날 거라고요! 환생의 기회가 있어요!"

"환생...!"

"그래요, 누나는 절대로 지옥에 있지 않을 거예요! 잠시 다른 데로 떠난 것일 뿐이라고요!"

이리내의 말에 하루는 검을 다시 칼집에 넣어두었다.

"너 말이 맞아. 천인은 인간과 다르게 환생할 수 있는 기회가 있지......"

장례 행렬이 끝난 후, 몇 년이 지났을까. 사랑하는 사람을 잃은 탓에 하루는 더 이상 성장할 수가 없었다. 그 틈을 타 수많은 양반집 규수들이 하루에게 찾아왔다.

"저하. 어서 사랑을 나누어서 몸의 성장을 해야죠."

"저하께서는 미래의 왕이 될 몸이 아니십니까? 그러니 어서 새로운 짝을 찾아야지 않겠습니까?"

"전 저하를 정말로 사랑합니다. 왕세자님을 행복하게 만들 자신이 있사옵니다."

하지만 하루의 대답은 늘 이랬다.

"저리 물러가라. 나의 아내는 장씨 가문의 딸인 장미리내다. 그러니 내가 결혼할 상대는 미리내의 환생이다."

하지만 그럼에도 찾아오는 구혼녀들 때문에 결국 하루는 천궁을 떠나 곤륜산 수련원으로 떠나기로 마음먹었다. 수련원으로 갈 짐을 다 싼 하루는 자신의 어머니 직녀와 조부모님께 인사를 하였다.

"할아버지, 할머니. 그리고 어머니. 전 마음을 가다듬고 미리내가 다시 환생하는 날이 올 때까지 곤륜산으로 수련을 하러 떠납니다. 그럼 다음 추석날 다시 만날 때까지 모두 안녕히 계세요."

"그래, 너도 몸조심하고 가는 길에 배고플 텐데. 도시락 챙기렴."

"아, 감사합니다. 엄마."

그리하여 하루는 정든 집을 떠나 수련원 생활을 하게 되며 미리내의 환생을 기다리고 있었다. 미리내가 떠나간 이후 그는 조용해지고 미소를 잃게 되었으며 천계에는 인간 세상에 대한 노래가 하나 전해져오기 시작했다.

저 아래 인간들이 사는 땅에는 조선이라는 나라가 있었다네.
조선 사람들은 하루를 열심히 살며 평화롭게 지냈다네.
어느 날 섬나라 일본 사람들이 조선 사람들을 괴롭히기 시작했다네.
힘없고 약한 조선 사람들은 포기하지 않고 계속해서 나아갔다네.

마침내 나쁜 일본 사람들은 벌을 받게 되었다네.
마침내 조선 사람들은 나라를 지켜냈다네.
조선은 새 이름을 갖게 됐다네.
조선의 새 이름은 대한민국이라네.

천계낭자전

주마등

장씨 가문의 집안에서 어여쁜 딸이 하나 태어났다. 첫아이를 얻은 곽씨 부인은 기쁨의 눈물을 흘리며 딸을 안았으며 옆에는 그녀의 남편 장공명과 시부모가 같이 있어줬다.

"며늘아, 수고 많았다. 그래서 공명아 이름은 어떻게 한다고 했지?"

"아, 우리 딸 이름은 은하수를 뜻하는 미리내라고 지으려고 합니다."

"한자는 어떻게 되지?"

"용천입니다."

"그렇구려. 미리내는 저 아래 조선에서 은하수를 그렇게 부르지. 우리 미리내 뉘 집 손녀인지 정말 예쁘게 생겼구려. 누구에게 시집 보낼까 부터가 걱정이구려."

미리내는 아버지 장공명과 어머니 곽씨 부인. 그리고 조부모의 사랑과 예쁨을 받으며 어여쁜 소녀로 자라났다. 많은 해가 흘러간 어느 날 곽씨 부인에게 아들이 생겨났다. 새로운 아기가 태어났을 때도 역시 곽씨 부인은 또다시 기쁨의 눈물을 흘렸고 장공명과 조부모 그리고 미리내까지 새로운 아기의 탄생을 지켜보았다.

"아이고, 이렇게 또다시 기쁜 일이! 이번에는 늠름한 장군이 나왔구나. 아들의 이름은 어떻게 지었니?"

"이리내라고 지을까 합니다. 한자는 하늘에서 흘러가는 구름을 따서 이를 운(云), 또 다른 한자는 누나의 이름을 따서 내 천입니다."

"그렇구나. 우리 이리내도 누구에게 장가보낼까 부터가 걱정이네."

미리내는 정말 복 받은 소녀였었다. 그녀에게는 늘 사랑하는 가족들이 있었고, 넓은 집과 비단 옷, 그리고 언제나 맛있는 음식을 먹을 수 있었다. 하지만 그런 그녀의 일상이 어느 순간 바뀌기 시작했다. 때는 어느 봄날, 장공명이 천궁에 들어갔을 때였다. 그날은 천궁에서 생일잔치가 열린 날이었다. 초대된 양반들이 많이 모여들자 천계왕이 자리에서 일어나 말하였다.

"오늘은 저의 손주 하루와 소라의 생일입니다. 초대에 응해주신 모든 분들에게 감사의 인사를 전합니다."

이윽고 하루와 소라가 나타나게 되었고 장공명은 하루를 보게 되었고 하루에게 축하의 말을 전한 후, 다른 양반의 무리에서 담소를 나눌 때였다.

"여어, 장씨, 오랜만이네."

"그래, 잘 지냈니?"

"왕세자님은 보고 왔지?"

"당연하지. 그런데 기대한 것만큼 잘생기지는 않았더라."

"혹시 자네 딸내미, 천궁에 시집보낼 생각 없어?"

"글쎄다……천궁의 분위기가 왠지 저 가까운 소림가문 쪽에 보낸다는 소문이 있더라고. 그래서 영 자신이 없어."

"그렇게 소심해서야 되겠어. 공명아, 지금이라도 늦지 않았어. 딸에게 지금이라도 신부수업을 시키면 왕세자비가 되어 미래의 왕후가 될 수 있을 거라고."

"왕후라……그래, 이 세상에 하나밖에 없는 소중한 우리 딸, 미리내에게 알맞은 신랑은 저 하루 왕세자밖에 없어. 미리내의 미래를 위해서라도……"

그날부터 미리내는 혹독한 신부수업을 듣게 되었다. 미리내는 늘 새벽에 일어나 한자나 역사를 공부하는 것을 시작으로 여러 명의 교사한테 다도, 서예, 수놓기, 베짜기 등을 배웠으며 몸을 움직일 때도 언제나 조신하게 행동해야 했으며 식사를 하는 시간은 또 다른 예절 수업이 되었다. 미리내의 부모님과 조부모님은 미리내의 수업에 관해서는 냉정했으며 덕분에 미리내가 힘들 때 유일하게 의지할 수 있는 사람은 그녀의 남동생 이리내였다. 한번은 모처럼 미리내가 시간이 날 때였다. 그날 미리내와 이리내는 정원에서 담소를 나누고 있었다.

"누나, 힘들지 않아?"

"뭐가요?"

"신부수업 말이야. 누나가 그렇게 힘들어 하면서까지 수업을 받아야 하는 거야?"

"괜찮습니다. 이 모든 것을 참고 버텨내면 훗날 꽃날이 찾아올 것입니다. 그 뿐만 아니라 아버지랑 어머니, 할아버지랑 할머니, 그리고 이리내한테도 복이 올 것이고 가문의 명예를 지킬 수 있을 거예요."

"누나......"

그 때 어디선가 미리내를 부르는 목소리가 들렸다.

"미리내 아가씨! 어디 있는 겁니까! 쉬는 시간은 끝났으니 어서 수업을 들으려 와주세요!"

"이제 가야겠네요. 그럼 식사 할 때 봅시다."

결국 미리내는 다시 수업을 받으러 들어가게 되었다. 이리내는 그런 자신의 누나가 안쓰러웠다.

시간이 흘러 드디어 천궁에서 금혼령이 떨어지게 되었다. 장씨 집안은 그 어느 때보다도 긴장했고 미리내 역시 그 어느 때보다도 진지했다. 장공명은 가마를 타기 전에 미리내의 고운 손을 잡고 말했다.

"미리내야, 오늘이 바로 기대하던 그 날이다. 부디 최선을 다한 만큼 너의 행동과 실력을 보이거라. 이 아비는 너를 믿는다."

"알겠습니다."

미리내는 천궁으로 들어가게 되었고 남은 가족들은 미리내의 결과를 기다리고 있었다. 그렇게 긴장의 끈을 놓치지 않으며 기다리고 기다리던 며칠 후, 천궁에서 전보가 나왔다.

"축하합니다. 선비님의 따님이 왕세자님의 예비 신부로 결정됐습니다. 가족 분들께서는 내일 천궁에 갈 준비를 하십시오."
딸의 소식에 그 날 모든 가족들이 저마다 기쁨의 소리를 외쳤으며 다음 날 공명과 곽씨 부인 그리고 이리내는 가마와 말을 타고 천궁에 가게 되었다. 장공명과 곽씨 부인은 딸의 시부모가 될 견우와 직녀와 서로 인사를 하기 시작했다.

"만나서 반가워요. 우리 미리내가 이곳의 며느리가 되다니, 정말 망극합니다."

"저도 만나서 반가워요. 따님은 정말 예쁘게 생겼습니다. 정말 훌륭한 부모를 두셨군요."

"과찬입니다. 저희는 단지 미리내에게 지원만 해줬을 뿐, 모든 것은 미리내가 직접 했습니다."

한편 이리내는 누나가 있는 방을 찾기 시작했다. 한참을 돌아다니다가 드디어 미리내의 목소리가 들렸다.

"응? 어디서 누나의 목소리가 들리네."

소리가 나는 방의 문에서 몰래 구멍을 뚫고 몰래 쳐다보는 이리내.

"옆에 분이 바로 하루 왕세자?!"

한편 방안에서 하루와 미리내는 담소를 나누었다. 하루는 얼굴을 붉힌 채 미리내에게 말했다.

"혹시 여기 덥지 않소?"

"저는 괜찮습니다만. 혹시 서방님이 더우시면 제가 창문을 열어드릴까요?"

"아, 나는 괜찮소. 혹시 낭자가 덥지 않을까 그런거요."

"그렇군요. 방 안의 온도는 적당합니다. 실례가 되지 않는다면 서방님의 안경 벗은 모습을 보고 싶습니다."

"내가 안경 벗은 모습? 뭐 어려울 것 있나요. 기꺼이 벗어드리죠."

하루는 자신이 안경을 벗기 시작했고, 안경 벗은 하루를 본 미리내는 살며시 얼굴을 붉히었다.

"낭자, 어디 아프오? 얼굴이 빨개진 것 같소."

"아, 아닙니다. 잠시 물 좀 마시고 오겠습니다."

미리내는 여전히 얼굴을 붉히며 방 안으로 나갔다. 그 모습을 본

이리내는 미리내에게 말 걸었다.

"누나, 어디 아픈 거 아니지? 얼굴이 왠지 사과 같아."

"이리내야..."

"왜 누나?"

갑자기 미리내는 이리내의 어깨를 잡으며 말했다.

"지금 이 설렘을 말로 해도 모자를 거예요."

"왜...?"

"서방님의 외모에 제 심장의 박동이 멈출 수가 없겠어요. 서방님한테는 저 같은 소녀가 아까워요."

"그런가? 내가 보기에는 평범한 얼굴인데......그렇지만 누나, 자신감을 가져! 이래봬도 누나는 치열한 경쟁에서 뽑혔잖아. 전혀 부끄러워 할 이유가 없다고."

"그런 말 해주셔서 고마워요. 흥분을 가라앉히고 다시 서방님에게 가볼게요."

얼마 후, 하루와 미리내의 약혼식이 시작되었다. 고운 비단 옷을 차려입은 두 천인은 많은 축복과 환호를 받으며 약혼이 진행되었다. 하루와 미리내가 나란히 행진을 하게 될 때, 미리내는 하루에게 살며시 팔짱을 끼며 속삭였다.

"서방님. 먼 훗날 천계의 아버지가 될 준비가 되셨습니까?"

미리내의 질문에 하루는 살며시 웃으며 대답했다.

"낭자와 함께라면 불가능이 없을 것이오."

하루의 대답에 미리내가 활짝 웃으며 대답했다.

"저 역시 서방님과 함께라면 천계의 어머니도 자신이 있사옵니다."

천계낭자전

삼신

삼신. 그녀는 탄생을 관장하는 자. 만물의 그분이 생명을 만들면 그녀는 생명을 점지해준다. 그녀는 많은 천인과 많은 인간들을 점지해줬으며 그녀가 생명을 점지할 때면 햇살처럼 따뜻한 미소를 지으며 앞으로 태어날 생명을 축복해준다. 하지만 언제부터인가 세상에는 총소리와 핏자국이 넘쳐흐르게 되자 그녀의 얼굴에는 미소가 아닌 눈물로 가득 차게 되었다.

그날도 삼신은 저승에서 이승의 상황을 보고 있었다. 그날 지상에는 꽃다운 소녀들의 피바다 가 보였다. 무더기로 쌓여진 소녀들의 모습과 그걸 아무렇지도 않게 소녀들을 불태우는 일본 군인들의 모습에 크디큰 충격을 받은 삼신을 구슬같이 굵은 눈방울을 흘렸다.

"어떻게 저런 일이......분명 태어날 때만 해도 순수하던 아이들이 어떻게 저런 광경을 만들었을까......도저히 믿을 수 없도다......"

또 다른 상황을 지켜본 삼신. 좁고 차가운 방에 조그마한 여자아이가 일본군에게 희롱을 당하고 있었다. 하지만 일본말을 할 줄 모르는 소녀에게 질린 일본군은 어린 소녀를 내동댕이치며 가버렸다. 이 때 소녀는 그날도 모진 하루를 보냈는지 울분을 토하며 말하였다.

"나는 왜 이렇게 당하고만 살아야 하는 걸까? 나는 왜 잘못하지도 않았는데도 맞는 걸까? 나는 왜 조선의 여자로 태어나 이런 취급을 받아야 하는 걸까? 차라리 이렇게 살아갈 거면 태어나지 않았으면 좋을 텐데. 아니면 차라리 짐승으로 태어나는 것이 더 낫지.”

소녀의 말에 그날 삼신은 큰 소리로 울어댔다. 얼마나 울었는지 피눈물이 나오고 말았다.

“미안하고 미안하다. 아침의 태양과 밤의 달과 새벽의 별보다도 소중한 너희들이 이런 대우를 받아야 하다니……도저히 두 눈뜨고 못보겠노라……나를 원망해라…조선으로 태어나게 한 것도, 너희를 괴롭게 하는 아이를 점지한 것도, 지금 이 순간 아무것도 하지 않는 나를 원망해라!”

그 일이 있고 난 며칠 후, 이승에서는 앞으로의 출산 소식이 적혀있지 않았다. 출산 명부가 비어있는 것을 본 염라대왕은 당황하며 삼신에게 찾아갔다.

“삼신, 지금 출산 명부가 비어있소. 이게 도대체 어떻게 된 거요?”

삼신은 수척해진 얼굴로 염라를 향해 고개를 들며 대답했다.

“그거 잘됐네요. 아이들을 저 끔찍한 곳으로 고생시킬 바에 차라리 태어나지 않는 것이 더 낫죠.”

“그게 무슨 소리요? 지금 자신의 명분을 포기하겠다는 거요?”

“염라, 저는 더 이상 아이들을 지옥으로 보내고 싶지 않소. 아니 지옥도 저곳보다 나을지도 모르오. 제가 사랑을 하며 점지한 아이들이 악마도 무릎을 꿇을 잔학한 행동을 하고 다니며 아이들을 죽이고 있는 모습 안 보이오? 비참하게 죽어 장례도 없이 인생의 끝을 마치는 아이들이 안 보이오? 저는 오늘도 수많은 죽음과 깊은 피바다를 보게 됩니다. 항상 보고 있지만 언제나 가슴에 칼에 찌르는 듯 아프고 나의 눈은 하루도 눈물을 안 흐르는 날이 없소. 인간으로 태어나게 만드는 일이 너무나도 자괴감이 듭니다. 저렇게 살게 된다면 차라리 한 마리의 벌레로 태어나게 할 걸 그랬나 봐요. 권한만 있다면 지금 당장 이승으로 가서 그들에게 야단을 치고 싶사옵니다만 그럴 수도 없다는 사실에 너무나도 답답하오. 정말 어쩌라는 건지 소리치고 싶소. 이렇게 된 이상 차라리 제 자신이 그냥 사라져 버렸으면 합니다. 그렇게 되면 지금의 고통을 못 보게 되니 오히려 지금보다 행복하겠소."

삼신할미는 또다시 눈물을 흘려냈다. 그 모습에 냉정한 염라대왕에게도 슬픈 감정이 들었다. 하지만 이내 그 감정을 참으며 삼신할미의 말에 답했다.

"나 역시 피도 눈물도 없는 저런 것들을 지금 당장 이 저승의 지옥에 돌게 하고 싶소. 저들이 하는 짓은 죽음의 제왕인 나도 겁을 먹을 정도요. 하지만 우리는 이승에 관여할 수 있는 권한이 없다는 게 슬픈 사실이오. 하지만 그렇다고 자신의 명분을 포기하는 것도 역시 안 되는 법이오. 우리가 지금 이 명분을 행하지 않으면 이승뿐만 아니라 천계와 바다한테도 악영향을 끼칠지도 모르잖소. 삼신, 우리 조금만 더 버팁시다. 조만간 희소식이 올지도 모르오."

염라대왕의 말에 삼신할미는 염라대왕의 옷깃을 붙잡으며 소리쳤다.

"염라! 당신이 그러고도 죽음의 제왕입니까! 어서 차사들을 불러서 저들을 데려가게 해 주세요! 지상을 더 이상 지옥으로 만들 수는 없습니다! 한명이라도 살려야 하는 상황입니다!"

"진정하시오 삼신! 만물의 그분이 허락하지 않는 이상, 멀쩡히 살아있는 인간들을 지옥으로 부를 수도 없소! 제발 조금만 참으시오! 분명 고생 끝에 낙이 올 것이오."

염라대왕의 설득에 삼신할미는 다시 출산명부를 작성하고 아이들을 점지해주었다. 하지만 그녀는 더 이상 따뜻하고 온화한 미소를 짓지 않았다. 그녀의 눈은 늘 애절해보였다. 애절한 마음이 복에 받친 어느 갠 날, 삼신은 한 편의 시를 써내었다.

도산지옥의 검들도 일제의 검을 이길 수 없으랴.
화탕지옥의 아궁이도 형무소의 옥방보다는 아늑할 것이랴.
한빙지옥의 추위도 유배길보다 따뜻할 것이랴.
곧 검수지옥에 수많은 아이들이 헤맬 것이오.
발설지옥의 염라대왕도 울고 갈 일제의 만행아
이승을 독사지옥으로 만드는구나.
결국 거해지옥 태산대왕의 심판으로도 부족하다.
철산지옥의 못 침상도 위안소의 잠자리보다도 편할 것이랴.
풍도지옥의 칼바람도 일제의 군인들을 뚫을 수 없으랴.
흑암지옥의 어둠도 일제의 마음에 비해서는 밝을 뿐이라.
아마 마지막 시왕 동자판관에 이르렀을 때,
그들은 코웃음을 치고 말 것이다.
저승도 이곳에 비하면 별거 없다는 것을
저승사자들도 순사에 비하면 무섭지 않다는 것을
시왕들도 천황에 비하면 보잘 것 없다는 것을
나도 오카상에 비하면 대단하지 않다는 것을

천계낭자전

저승

"장미리내...장미리내...장미리내"

미리내가 다시 눈을 떴을 때 그녀는 더 이상 천인이 아닌 영혼이 되었다. 영혼이 된 미리내 앞에는 두 명의 저승사자가 그녀를 기다리고 있었다.

"장미리내. 1945년 8월 6일 사망 확인. 사인은 피폭사."

"당신들은 누구시죠?"

"저는 일직차사 바리데기, 이쪽은 월직차사 무장신선입니다. 지금 염라대왕님께서 애타게 당신을 찾고 있습니다. 자, 어서 저승으로 가시죠."

미리내는 바리데기와 무장신선의 배웅을 받으며 저승으로 향하게 되었다. 저승으로 들어가기 전 미리내는 폭탄으로 인해 끔찍하게 변한 사람들과 장애를 가지게 된 사람들, 가족을 잃어서 우는 아이들, 그리고 붕괴가 된 건물을 보며 그녀는 할 말을 잃었다.

바리데기와 무장신선의 배웅을 받으면서 미리내는 슬픈 감정인지, 놀란 감정인지, 혹은 후회의 감정이 들었는지 계속 고개를 숙이고 있었다. 저승에 도착했을 때 미리내는 염라대왕과 그 옆에 둘려 싼 나머지 시왕들을 만나게 되었다.

"부탁하신 망자를 데려왔습니다."

염라대왕은 근엄한 표정으로 말하였다.

"장미리내. 너의 죄는 저주를 사용한 죄. 너의 시누이를 죽이려 한 죄. 그리고 너의 행동으로 인해 수많은 생명이 목숨을 잃게 되었다."

염라대왕의 말이 끝나자 몇몇 시왕들은 흥분을 감추지 못한 채 미리내에게 소리치기 시작했다.

"요망한 것! 감히 저주를 사용해! 도시를 날려먹을 셈이냐!"

"염라, 뭐하십니까?! 당장 저것에게 벌을 내려주시오!"

"무슨 소리입니까! 이 아이는 한 나라를 구한 영웅이에요!"

"이 아이 덕분에 전쟁을 멈추게 되었습니다. 그 공로는 인정해 주어야 합니다!"

그 때 염라대왕이 법봉을 두드리기 시작했다.

"정숙하시오! 당신들의 의견을 잘 들었습니다. 이제 판결을 내리겠소."

염라대왕의 말에 다른 시왕들은 모두 숨을 죽인 채 염라대왕과 미리내를 바라보았다. 염라대왕은 언성을 높이며 말하였다.

"그래, 너는 지금 당장 모든 지옥에 돌고 와도 모자랄 판이다. 하지만……"

염라대왕의 높은 목소리가 차분해진 목소리가 되어 대답했다.

"넌 전쟁을 멈추게 하고 이제 곧 조선은 광복을 하게 될 것이다."

"정말입니까?"

"그렇다. 이 점 역시 인정해야 한다."

조선의 광복 소식과 벌을 받게 될 불안한 마음이 미리내를 매우 복잡한 감정이 들게 만들었다.

"넌 생전에 많은 생명을 죽게 만든 죄를 지어 벌을 받아야 하지만 전쟁을 멈추게 하고 조선을 구한 큰 업적을 남겼다. 그래서 나는 너의 죄를 씻을 기회를 주기로 하였다."

"그게 무엇입니까?"

그 때 염라대왕이 바리데기와 무장신선을 부르기 시작했다.

"일직차사 바리데기와 월직차사 무장신선은 앞으로 오거라."

"네, 알겠습니다."

바리데기와 무장신선은 염라대왕 앞에 서자 염라대왕이 다시 입을 열었다.

"저승의 길을 안내하는 이원차사가 되어 이들이 망자를 제대로 이 곳에 데려올 수 있게 길을 안내하라. 그러면 때가 되면 너의 죄를 완전히 씻겨질 것이다. 어떤가, 하겠느냐?"

"네. 받아들이겠습니다. 전 저의 죄를 씻어서 환생할 것입니다."

"좋다. 그 대답 마음에 드는군."

그 때 미리내가 밟고 있던 돌판에 빛이 나기 시작하더니 미리내의 몸은 한 마리의 까치로 변하기 시작했다.

"이제 넌 이원차사로 다시 태어나게 되었다. 어서 가서 너의 임무 를 행하라."

까치는 이승과 저승으로 오고 가며 몇몇의 천계의 망자들과 인간 세상의 죄인들을 만나게 되었으며 그럴 때 마다 바리데기와 무장 신선이 좀 더 쉽게 망자들을 저승으로 갈 수 있게 힘껏 날아올라 길을 안내하였다.

도깨비전

사람을 놀래키고 장난치기 좋아하는 요괴 도깨비. 이들은 하늘나라
천계와 지상의 인간 세상을 오가며 지내고 있었다. 어느 날, 천계
에 자두농장을 하는 집안에서 자란 성민이라 하는 아이가 있었다.
성민은 어려서부터 조용하고 생각이 많고 책을 좋아하는 아이였다.
그날도 성민은 나무 그늘에 앉아 조용히 책을 읽고 있을 때였다.

"어이, 김 서방! 나랑 씨름 하지 않을래?"

누군가 그를 부르는 소리가 들리자 고개를 든 성민 앞에는 큰 덩
치와 머리 양옆에 조그마한 뿔이 달렸으며 특이한 귀를 가지고 거
대한 나무 방망이를 든 도깨비였다.

"넌 누구야?"

성민의 물음에 도깨비는 자신이 든 방망이를 휘둘리며 대답했다.

"나는 방돌이야. 방망이를 잘 휘두른다 하여 다들 그렇게 부르지.
나와 씨름을 하면 내가 너에게 좋은 보상을 하나 주도록 할게, 어
때 하지 않겠니?"

성민은 크게 내키지 않았지만 좋은 보상이라는 말을 혹해서 도깨
비 방망이의 내기를 받아들이기로 하였다. 성민이 내기를 받아들이
자 방망이는 미소를 지으며 말했다.

"받아줘서 고마워. 그럼 지금 당장 씨름을 하는거다!"

그리하여 방돌이와 성민이의 씨름 시합이 시작되었다. 성민은 온갖 힘을 다하여 방돌이를 넘어뜨리려 하였다. 하지만 방돌이는 덩치가 크고 힘이 쎈 도깨비이다 보니 성민의 안간힘에는 아무 소용이 없었다. 마침내 성민이 힘이 다 빠지게 되자 방돌이는 기다리듯이 곧바로 성민을 넘어뜨리고 만다.

"아얏, 아파!"

"헤헷, 내가 이겼지롱!"

방돌이는 자신이 이긴 것에 자랑하듯이 성민에게 소리쳤다. 하지만 성민은 오히려 토라지듯이 옷을 털고 자신의 책을 들고 갈 때였다.

"어, 잠시만 김 서방! 벌써 가려는거야? 나 그래도 너처럼 힘이 쎈 어린아이는 처음 봤는데 좀 더 놀아주면 안 돼?"

방돌이의 말에 성민은 차가운 말투로 대답했다.

"나는 됐어. 조용한 곳에서 혼자 책 읽는 것이 훨씬 좋아. 그리고 난 김씨가 아니라 이씨거든! 너희 도깨비들은 사람들 성이 다 김씨인줄 알더라."

성민의 말에 방돌이는 머리를 긁적이며 말했다.

"아, 그렇구나. 미안해 헤헤. 그럼 이 서방이라고 불려도 될까?"

"난 결혼도 안 했다고. 그리고 내 이름은 성민이니까 그렇게 불려줘."

“그래, 알겠어. 근데 성민아, 너는 무슨 책을 읽고 있는거야?”

“이거? 삼국지연의라는 책이야.”

“우와, 엄청 어려워 보이는 책이다. 그거 이해가 잘 돼?”

그렇게 성민이가 집으로 가는 사이 방돌이는 성민의 주변을 맴돌며 여러 가지 말을 걸기 시작했다. 성민은 처음에는 수다스러운 방돌이의 질문에 대답을 하는 둥 마는 둥 했지만 점점 자신에게 친근하게 대하는 방돌이에게 마음을 열어 이번에는 성민이 방돌이에게 질문을 하게 되었다.

“너는 좋아하는 음식 있어?”

“내가 좋아하는 음식? 많이 있지! 도토리묵, 메밀묵, 막걸리...아 그리고 채소도 많이 좋아해! 내가 당근 싸왔는데 어디보자...”

방돌이는 옷을 뒤적이더니 커다란 당근 하나를 꺼내 들더니 성민에게 건냈다.

“여기 있다! 요 주변에 있는 채소밭에 서리한 건데 너도 먹을래?”

그러자 성민의 얼굴은 파랗게 질리며 말했다.

“아니...나는...괜찮아...너나 많이 먹어.”

“응? 당근을 싫어하나? 그럼 배추라도 먹을래?”

"으악! 아니, 괜찮아. 나는 채소를 좋아하지 않아!"

성민의 반응에 방돌이는 혀를 차며 대답했다.

"에이, 벌써부터 편식하면 못쓰지. 그렇게 채소를 싫어하면 너 몸은 비실비실할걸."

"상관없어! 난 채소가 정말 싫단 말이야! 어쩌다 엄마가 채소 반찬만 내놓는 날이면 정말 고역이라고!"

성민이 기겁을 하는 사이 벌써 자신의 집에 도착하게 되었다. 성민은 함께 가준 방돌이에게 작별 인사를 하고 집에 돌아가려 할 때였다.

"여기가 우리 집이야. 난 들어갈게, 너도 잘 가."

성민은 방문을 열고 방에 들어가려 할 때였다.

"저기, 다음에 또 놀러 와도 되지?"

방돌이는 여전히 신이 난 상태로 물었다.

"뭐...그래, 상관없어."

그렇게 성민과 방돌이의 첫 만남이 지나갔다. 그렇게 며칠의 시간이 지났을까, 그날은 계절마다 한번 천인들이 인간세계에 놀러 갈수 있는 날이었다. 그날 성민의 부모님도 인간세계로 놀러 가는 바람에 혼자 있게 되었다. 하지만 성민은 그러거나 말거나 새로운 책

한 권을 꺼내 구석에서 읽고 있을 때였다.

"여어! 성민아! 거기 있니?!"

익숙한 목소리가 들리자 성민은 방문을 열었다. 그러자 친숙한 얼굴이 맞이하지 않는가.'

"안녕? 나 방돌이. 기억하지."

방돌이의 방문에 성민도 내심 반가웠는지 손을 흔들었다.

"그럼 당연하지. 여긴 무슨 일이야?"

"그야, 오늘은 천계의 사람들이 인간 세상으로 놀러 가는 날이잖아. 그래서 네가 생각나서 한번 와봤는데 네가 있더라고. 넌 인간 세상에 안 가?"

"딱히 뭐, 큰 관심은 없어. 애초에 같이 갈 친구도 없는데."

"앗, 그럼 나랑 같이 갈까? 내가 인간 세상에 재미있는 곳을 알고 있어!"

"네가? 그래 뭐 좋아, 가끔씩 밖에서 나가 노는 것도 좋지. 그럼 같이 가자."

그렇게 성민과 방돌이는 인간 세상에 갈 수 있는 구름을 탄 뒤, 어느 산속에 도착하였다.

"여기는 어디야?"

"여기는 조선에 있는 마을 뒷산이야. 이 산을 내려가면 시장통이 보일거야."

"정말? 하지만 여기서 시장까지 가려면 너무 먼 것 같은데 괜찮겠어?"

"뭐가 문제야, 여기 이 도깨비 방망이만 있으면 괜찮다고!"

방돌이가 주문을 외우고 방망이를 흔들리자 순식간에 성민과 방돌이는 뒷산 입구에 있게 되었다.

"헉, 뭐지? 너 방망이가 우리를 순간이동 시킨거야?"

"그럼. 순간이동뿐만 아니라 다른 능력도 갖고 있다고."

"그것 참 신기하네."

그렇게 성민이는 방돌이와 함께 시장통을 둘러보고 있었다. 그날따라 시장에는 여러 사람들이 모여있어서 북적이고 있었다. 그렇게 한참 동안이나 여러 물건들을 보고 달달한 음식을 사 먹고 돌아가려 할 때였다. 어디서 호랑이 가죽 겉옷을 입은 소년이 그보다 어린 아이들에게 소리치며 야단치지 않는가.

"너희 뭐야! 한낱 조센진들이 어디서 나한테 나뭇가지를 던지는거야?!"

화가 난 소년의 목소리에 아이들은 벌벌 떨면서 말했다.

"미안해요. 저희끼리 자치기를 한다는 것이 그만..."

"시끄러워! 안 그래도 기분 안 좋은데 어디 나에게 맞아야겠다!"

남자가 아이들을 때리려 할 때였다.

"어이, 그만두지 그래."

그때 방돌이가 소년의 팔을 막아서자 아이들은 그 틈을 타 도망가기 시작했다. 방돌이의 방해가 성가신 소년은 짜증 나는 눈빛으로 그를 노려봤다.

"넌 뭐야! 남의 일이나 신경 끄시고 갈 길이나 가시지."

소년과 방돌이가 눈을 마주치자 이들은 서로가 익숙한 듯 이내 놀란 눈으로 쳐다보았다.

"뭐야 넌, 오니잖아?"

"그럼 넌 도깨비잖아?!"

그렇다 소년은 인간이 아닌 붉은 끼가 도는 얼굴에 이마에는 외뿔이 달리고 송곳니가 달린 요괴 오니였으며 그 역시 도깨비처럼 천계와 인간 세상을 오가는 존재였다. 도깨비 방돌이랑 눈 마주친 것도 잠시 성질 나쁜 오니는 바로 방돌이를 밀치며 말했다.

"쳇, 도깨비가 이곳에 왜 나타나는 거야? 또 못된 장난 치려 온 거야?"

"나는 친구랑 놀러 온 거야. 그럼 너야말로 일본에 있어야 할 요괴가 왜 조선에 온 거야?"

방돌이의 말에 오니는 비웃는듯한 말투를 하며 대답했다.

"풋, 조선이라고? 이봐, 정신 차려. 그곳은 이미 멸망하고 없어진 존재라고. 조선은 일본과 하나가 되었어, 그러니 이곳은 이제 일본 땅이라고. 그러니까 나도 여기 있는 거 아니겠어?"

"뭐...뭐라고?"

"왜? 내 말이 틀렸어? 너희 도깨비들과 우리 오니들이 같은 한자를 쓰는 이상, 너희는 이제 우리의 하위종이 될 거라고."

오니의 말에 항상 생글생글한 웃음을 짓고 다니던 방돌이는 화가 나더니 이내 오니에게 덤벼들어 소리쳤다.

"너, 말 다했어?! 우리가 너희의 하위종이라고? 말도 안 되는 소리! 우리 도깨비들은 너희 오니 같은 존재가 아니야! 우리는 너희처럼 사람을 함부로 공격하지 않는다고! 천계왕이 너희를 그렇게 두지 않을거라고!"

"천계왕이 우리를 그렇게 두지 않는다고? 도깨비, 넌 지금 천궁의 상황을 알고 이야기하는거니? 천계왕께서 지금 가장 관심 있어 하시는 나라가 바로 일본이라고. 그러니 이번에 새로 태어난 손주들을 일본식으로 지은 거 아니겠어? 그러니 너희 도깨비들도 이제 조선을 잊고 우리와 함께 살아가는 거 어때?"

방돌이는 계속해서 분노가 치밀어올랐다. 하지만 피를 보는 것을 싫어하는 방돌이는 차마 오니를 때릴 수가 없었다. 단지 이악물고 그를 노려보고 있었지만 동시에 그의 눈은 글썽일 듯 했다.

"그만둬!"

그때 이 둘의 행적을 지켜보고 있던 방돌이의 친구 성민이 소리쳤다.

"넌 또 뭐야? 조센진이야?"

"아니야. 얘는 하늘나라 천인이고 나의 친구야."

성민은 조금은 겁이 났을 법하지만 그는 주먹을 쥐고 오니에게 달려가 소리쳤다.

"천계왕이 일본을 좋아하든, 모두가 조선을 무시하든, 방돌이는 너 같은 나쁜 놈이 아니라고! 도깨비가 오니의 하위종이라는 말은 틀렸어. 아니, 도깨비랑 오니랑 같이 보는 것도 난 싫어! 방돌이가 가끔 심한 장난을 쳐도 본질은 순수하고 착한 아이라고, 너희 같이 사람들을 괴롭히려 하는 것들과 다르다고!"

"뭐...뭐야?!"

오니가 당황한 틈을 타 성민은 조선말로 그에게 욕하기 시작했다.

"이 바보, 멍청이, 망나니 오니 같으니라고! 어서 방돌이를 풀어주고 조선에 당장 나가!"

"방금 나한테 뭐라고 한 거야?! 어서 일어로 말하지 못해!"

"조선말도 할 줄 모르면 나대지 말라고! 천인처럼 3개 국어(여기서 말하는 3개 국어는 중국어와 일본어, 그리고 지금의 한국어이며 천인의 고유 능력이다) 못 말하는 요괴야!"

성민의 작은 도발에 오니의 얼굴은 점점 붉어지기 시작했다. 그런 사이 성민이는 방돌이의 손을 잡으며 그에게 빠져나오게 하였다.

"방돌아, 그냥 천계로 돌아가자. 엄마가 나쁜 아이랑 놀지 말라 했어!"

성민의 말에 방돌이는 고개를 끄덕이며 말했다.

"그래 알겠어. 당장 천계로 돌아가자."

방돌이는 도깨비 방망이를 한번 휘두르더니 금세 오니 앞에서 사라졌다.

"쳇, 저 천인 녀석...어디 두고 보라고! 그깟 조선어 따위가 뭐 대수라고!"

조선에서 오니와의 만남이 있고 난 후 며칠의 시간이 지났을까, 성민의 부모인 성현과 유화부인은 잠시 외출을 나갔고 성민은 자신의 어린 남동생을 돌보고 있을 때였다. 대문에서 그를 부르는 소리가 들리자 성민은 반가운 마음으로 문을 열었다.

"안녕, 방돌아."

"안녕, 성민아. 뭐하고 있었어?"

"동생을 돌보고 있었어. 무슨 일 있어?"

"너와 같이 있고 싶어서 불렀어. 같이 놀까?"

방돌이의 말에 성민은 일단 동생 현민의 상태를 살펴보았다. 이때 현민은 깊은 잠에 빠져 있었다.

"그래, 놀자. 마침 현민이도 자고 있으니까."

그리하여 성민은 방돌이와 함께 대문을 나서서 뛰어다니기 시작했다. 그들은 시골길을 뛰어다니며 나무를 타기도 하고 물가에 뛰놀기도 하였으며 서로 그동안에 있었던 일을 이야기하며 마을을 돌아다니고 있을 때였다.

"있잖아, 너는 노래 듣는 거 좋아해?"

"노래 듣는 거? 뭐 싫지는 않아. 그런데 왜?"

"잘 됐다. 이번에 노래자랑에 나가게 됐거든, 네가 한번 들어줬으면 해."

방돌이는 그렇게 말하고 노래를 부르기 시작했다. 하지만 아무리

노래를 좋아한다는 도깨비라고 한들, 정작 태생적으로 도깨비들은 음치이기 때문에 방돌이의 노래 역시 성민이가 들어주기 힘들었다. 성민은 한 귀로 듣고 한 귀로 흘러보내려고 애쓰면서 어떻게든 노랫소리에 박자를 맞추기 위하여 손뼉을 치며 애써 웃음을 지으려고 하였다.

한편 그 시각 성민의 집에 낯선 손님이 찾아왔다. 하지만 방 안에 있는 사람은 어린 현민 뿐이었다. 인기척을 느낀 현민은 잠에서 깨기 시작했다.

"우음...엄마? 아빠? 아니면 형아?"

하지만 어린 현민이 손님과 눈을 마주쳤을 때 그는 온갖 공포감에 시달리게 되었다. 현민의 앞에 서 있는 것은 다름 아닌 성질 나쁜 요괴 오니가 아닌가.

"헉! 누...누구세요?! 무...무슨 일로 찾아온 거예요?"

벌벌 떠는 목소리로 현민이 말하자 오니는 묵직한 목소리로 대답했다.

"너 말고 큰놈은 어디 있지?"

"큰...큰놈이라뇨? 형 말하는 거예요?"

"그래, 너의 형은 어디 있는거냐?"

"형은 어디 나갔어요. 지금 여기 없어요."

성민이 집에 없다는 것을 알자 오니는 자신의 징이 박힌 방망이를 내려치며 큰소리로 말했다.

"뭣이라! 그놈이 없다고?! 젠장..."

현민은 그 모습에 겁이 났지만 용기를 내어 다시 말했다.

"도대체 형에게 무슨 볼일이 있어서 찾아온 거예요?"

"너 따위가 알 것 없다. 형이 없는 동안 대신 너를 데려가야겠군."

"안 돼요! 싫어요! 이러지 마세요!"

현민은 몸부림을 치며 저항했지만 아직 어린아이일 뿐인 그가 덩치가 큰 오니를 막기에는 역부족이었다.

한편 방돌이가 노래를 다 부르게 되자 성민은 새퍼렇게 질린 얼굴로 박수를 치기 시작했다.

"하하...끝났네."

"헤헤, 저번에 다녀간 인간 세상을 떠오르면서 불러보았어? 어때?"

"아...음...그래, 노래 부르느라 목이 탔을텐데. 내가 물 떠다줄게 잠시 우리 집에 들릴래?"

"딱히 목마르지 않는데...그래, 좋아."

성민은 방돌이를 데리고 자신의 집으로 돌아갈 때였다. 그 때 성민의 머릿속에 불현듯 자신의 동생 현민이 떠올랐다.

"맞다, 그러고 보니 현민이! 이제 깨어났을 것 같은데."

"현민? 너 동생 말이야?"

"응, 맞아. 큰일나면 안되니까 빨리 가야겠다!"

성민은 헐레벌떡 집으로 달려가 바로 방 안으로 들어갔다. 하지만 이상하게도 현민의 모습은 어디에도 보이지 않았다. 성민은 그 자리에서 멘붕이 오고 말았다.

"왜 그래? 무슨 일 있어?"

"방돌아, 큰일이야! 현민이가...현민이가 안 보여!"

벌벌떠는 성민의 모습에 방돌이도 깜짝 놀라고 말았다.

"어떡해, 혹시 밖으로 나간 것은 아닌지, 현민아 도대체 어디 있는 거야? 형 왔으니까 어서 대답해 이현민!"

곤란에 처한 성민을 두고 볼 수 없었던 방돌이는 그의 어깨를 잡으며 말했다.

"진정해, 성민아. 내가 너 동생을 찾을 수 있게 도와줄게. 내 도깨비불을 이용하면 동생이 있는 곳을 알려 줄 거야."

방돌이는 그렇게 말하고 도깨비불을 소환하였다. 방돌이는 도깨비불에게 성민의 동생 현민이 있는 곳을 알려달라고 하자 도깨비불은 곧바로 움직이기 시작하였다.

"자, 저 불을 따라가자. 그럼 만날 수 있을거야."

성민은 방돌이와 함께 도깨비불을 따라가기 시작했다. 그렇게 물가를 넘고 숲을 건너자 어두컴컴한 동굴이 보이기 시작했으며 도깨비불도 더 이상은 움직이지 않았다.

"아무래도 저 동굴 속에 있는 모양인가 봐. 동굴 안은 어두울 테니까 조심해서 따라와."

도깨비불이 빛을 밝혀주면서 동굴 깊숙이 들어가자 드디어 현민이의 목소리가 들리지 않는가.

"살려주세요! 거기 누구 없어요?"

현민의 목소리가 들리자 성민은 목소리가 들리는 쪽으로 달려가자 그곳에는 어린 현민을 밧줄로 묶고 그 옆을 지키는 사나운 오니가 있었다.

"현민아, 괜찮은 거 맞아? 앗, 당신은?! 그때 그 오니?"

"그래, 다시 만나게 돼서 반갑구나. 어린 동생을 혼자 두고 오다니 참 칠칠치 못하구나."

"다...당장 동생을 풀어줘! 현민이는 아무 잘못도 하지 않았어!"

"시끄럽다. 내가 왜 너의 말을 들어야 하지? 이제 이 아이는 이제 내 것이다. 몸이 튼실한 거 보니 저 아래 인간들에게 팔면 몸값이 두둑하겠구나."

자신을 판다는 오니의 말에 현민은 겁을 먹었는지 곧 울음을 터뜨릴 것만 같은 표정을 지었다. 그 말을 들은 성민은 무릎을 꿇고 소리쳤다.

"제...제발 그러지 말아줘! 데려갈 거면 차라리 나를 데려가 줘! 현민이는 아무것도 모르는 순수한 아이라고, 그러니 그만 놓아줘!"

그때 뒤늦게 성민을 쫓아온 방돌이가 그를 일으키며 말했다.

"정신 차려 이성민. 네가 저 오니 자식에게 머리 숙일 이유 같은 건 없어. 너 동생은 내가 구할 테니까, 넌 이따 동생 챙길 준비나 해."

방돌이는 그렇게 말하고 바로 오니에게 다가와 방망이를 휘둘렀다. 갑작스러운 기습공격에 오니도 당황했는지 뒤로 밀려나고 말았다. 그 틈을 타 성민은 현민의 몸에 묶여있는 밧줄을 풀자 현민은 자신의 형을 와락 안으며 소리쳤다.

"형! 왜 이제 오는 거야! 내가 얼마나 무서운 줄 알아! 진짜 저 아래 나쁜 사람들에게 팔려서 다시는 형도 엄마도 아빠도 못 만나는 줄 알았다고!"

형제가 재회를 하는 사이 방돌이와 오니는 주먹을 치고 방망이를 휘두르며 격렬하게 싸우고 있었다. 그때 방돌이에게 밧줄에서 풀려난 현민과 눈이 마주치자 그는 자신의 옷 속에 있는 감투 하나를 던졌다.

"성민아, 이건 도깨비감투로 그걸 쓰면 몸이 투명해져서 오니에게 들키지 않을 거야. 하지만 명심해, 절대 동생의 손을 놓으면 안 돼! 그렇지 않으면 너 동생에게는 효과가 없을 거야."

"하지만 방돌아......"

"내 걱정은 하지 마! 착한 사람들을 구하고 나쁜 사람들을 혼내주는 것이 바로 우리 도깨비거든!"

방돌이의 말을 들은 성민은 도깨비감투를 쓰고 동생 현민의 손을 꽉 잡고 달려가기 시작했다. 도깨비감투의 능력 덕분에 그들은 오니의 눈에 띄지 않게 도망갈 수 있었다.

한참을 달리자 성민과 현민은 무사히 자신의 집을 발견할 수 있었다. 집에서는 성민과 현민의 아버지 성현과 어머니 유화부인이 보이지 않는 자신의 자식들을 걱정하고 있을 때, 벌컥 문 여는 소리가 들리자 현민은 큰 울음을 터뜨리며 유화부인에게로 달려 들어갔다.

"엄마아!! 오니가 나를 납치해서 팔아먹으려고 했었어!"

현민의 울음 섞인 목소리에 당황한 성현과 유화부인은 성민에게 물었다.

“아니, 성민아 오니랑 납치가 무슨 소리냐?”

“괜찮니? 어디 다친 데는 없었어?”

성민은 할 수 없이 그간 있었던 일들을 부모님께 털어놓았다. 성민이 말하는 사이 현민은 유화부인의 품속에 지쳐 잠이 들었다.

“도깨비 친구를 사귄 거였구나. 재밌는 성격을 가졌네.”

성현의 말에 성민도 동의하며 말을 이어갔다.

“그뿐만이 아니야, 방돌이는 정의로워. 그냥 지나칠 수도 있었던 조선 아이들도 구해줬잖아.”

그러자 유화부인이 웃으면서 말했다.

“그렇구나. 엄마도 방돌이를 한번 만나보고 싶구나.”

그러자 성민의 어두운 표정으로 말했다.

“하지만 방돌이는 우리를 위해 오니랑 싸워줬어. 괜찮아야 할텐데...”

성민은 그렇게 말하고 난 후 자신의 졸린 몸에 의해 그만 쓰러지고 말았다.

“성민아, 성민아.”

다음 날 이른 아침. 유화부인의 목소리에 성민은 졸린 눈을 비비며 잠에서 깨어나고 말았다. 그가 눈을 떴을 때 유화부인의 표정은 몹시 어두웠다.

"엄마? 왜 그래요, 무슨 일 있어요?"

하지만 유화부인은 아무런 대답이 없었다. 아버지 성현은 조용히 대문 쪽으로 눈을 흘겼다. 성민은 성현이 가르킨 대로 문을 나서자 도깨비들이 그를 기다리지 않는가.

"그대가 바로 이성민 군입니까?"

"네...그렇습니다만 무슨 일로?"

성민은 왠지 모를 불안한 기운을 느꼈다.

"어젯밤 방돌이가 오니랑 싸우다가 그만..."

도깨비들은 끝내 말을 놓지 못하고 저마다 눈물을 터뜨리기 시작했다. 그리고 그 불안한 기운은 이내 사실이 되고 말았다.

"서...설마, 아니죠? 죽은 거 아니죠?"

하지만 그 어떤 도깨비들도 성민의 물음에 아니라고 답할 수가 없었다.

"피를 보기 싫어하고 방돌이는 쉽사리 폭력을 쓰고 싶은 자신이 없었던 거예요. 우리가 방돌이를 구하고 오니를 무찔렀을 때는 그는 이미......"

싸움을 싫어하고 사람을 좋아하는 착한 요괴 방돌이는 더 이상 자신의 곁에 없어진 것이다. 성민은 털썩 주저앉아 자신의 머리를 감싼 채 말했다.

"나 때문에 방돌이가...방돌이가..."

도깨비들은 성민에게 방돌이의 화장을 시작되니 와달라고 부탁하였다. 하지만 성민은 그럴 자신이 없었다.

"거절하겠어요. 저 때문에 방돌이는 그만 죽고 말았는데, 그런 나를 과연 보고 싶어할까요?"

자신 때문에 방돌이가 죽었다고 생각에 죄책감이 든 성민의 앞에 현민이 문을 열어 성민의 옆에 앉아 말없이 무언가를 건넸다.

"형, 이거 받아. 어제 도깨비 형이 주고 간 거잖아."

그것은 어제 성민과 현민의 몸을 투명하게 만들어 오니에게서 벗어나게 도와준 도깨비감투였다. 도깨비감투를 본 순간 성민은 참아왔던 눈물을 실컷 쏟아냈다. 그때 나이가 많은 영감 도깨비가 성민의 어깨를 토닥이며 말했다.

"이보게, 너무 그렇게 자책하지 마세. 친구를 지켜주고 싶어하는 방돌이가 너의 이런 모습을 보면 좋아하지 않을거네. 분명 무사히 돌아온 너희를 보면 안심하고 저승에 갈 수 있을거다. 너희 부모에게도 말해놨다. 그러니 재가 되어 사라지기 전에 어서 가자꾸나."

그렇게 도깨비들과 함께 성민과 현민 형제는 화장이 진행되는 곳으로 갔다. 방돌이의 모습은 거의 사라지고 있었지만 성민은 왠지 모르게 지금이라도 그가 자신을 부를 것만 같았다.

'잘 가, 방돌아. 짧은 시간이지만 너와의 추억 절대 잊지 못할 거야. 너의 죽음이 헛되지 않기를...'

다이쇼 로맨스

때는 다이쇼 시대. 당시에 나는 도쿄에 있는 한 중학교를 다니고 있는 학생이었다. 아마 그날도 학교에서 평범한 하루를 보내고 있었다. 등교하고 수업을 듣고 다 같이 밥을 먹고 오후까지 수업을 들은 후 하교를 하였다. 집에 돌아오자 내 또래의 여자아이가 바닥을 청소하고 있지 않은가?

"당신은 누구세요?"

내 질문에 여자아이는 나를 보고 당황했는지 어딘가 서툰 일본어를 구사하며 내게 인사하였다.

"아...안녕하세요 도련님."

그 여자아이를 가만 보니 이곳 사람이 아닌 듯했다. 다른 나라에서 넘어온 아이인 것 같다고 추측할 때 나의 어머니가 내게 다가와 여자아이에 대해 말해주었다.

"어서 와, 타로. 우리 집에 다른 사람이 있어서 당황했지?"

"아, 응. 그나저나 엄마 저 아이는 도대체 누구야?"

"저 아이는 오늘부터 우리 집에서 일하게 됐어. 조선에서 넘어왔지. 이름은 에이코"

조선이라는 말에 나는 매우 당황했다. 몇 주 전부터 어머니는 우리 집에서 집안일을 해 줄 사람을 구한다고는 했으니 그게 설마설마 조선인일 줄은 생각지도 못했다. 그러던 그때 그녀하고 나하고 눈을 마주치게 되자 나는 곧바로 내 방에 들어갔다.

'제길...조센진이라니, 저런 애가 있으면 말하는데 답답하단 말이야.'

처음에는 얼마 못 가서 일을 그만두게 생길 것만 같다고 생각했었다. 하지만 내 예상과는 달리 그녀는 낯선 환경이라서 힘들어할 텐데 매우 당차고 성실한 모습을 보여주었다. 우리 집을 청소 할 때 먼지 한 톨 남기지 않을 정도로 꼼꼼했고 우리의 빨래를 널 때면 비록 알아듣지는 못해도 고운 목소리로 노래를 부르는가 하면 가끔 내 방에 과자를 준비해서 가져올 때 내게 상냥한 미소를 지어주었다.

"과자 가져왔습니다. 오늘도 힘내세요 도련님."

그저 망국에서 넘어온 이방인일 뿐인 그녀. 단지 우리 집 하녀로만 있을 뿐이지만 왠지 나는 그녀에게 점점 관심이 가기 시작했다. 과거에는 어땠는지, 원하는 것은 무엇인지, 왜 우리 집에서 일하게 됐는지. 나는 무척이나 궁금했다. 하지만 겉으로 내키지 않는 척했다. 내가 조센진 하녀에게 관심을 갖는다는 걸 알게 되면 부모님이 나를 어떻게 생각할지 알기 때문이다.

그러던 어느 날, 저녁 시간이었다. 부모님은 오늘 저녁 외출할 일이 있다면서 결국 그날 저녁은 나랑 그녀 둘만 남게 되었다. 나는 그녀에게 말을 걸려 할 때 갑자기 우리 부모님이 어딘가 나를 지켜보고 있는 생각이 들었다.

'에이, 지켜보든 말든 알게 뭐야. 하녀에게 한 번쯤은 말을 건네 볼 수도 있는거잖아.'

나는 용기를 내어 그녀에게 말했다.

"저기, 에이코. 너는 왜 우리 집에서 일하러 온 거야?"

그게 내가 그녀에게 건넨 나의 첫 질문이었다. 나의 질문에 이번에는 에이코는 어느 정도 능숙해진 일본어로 대답했다.

"저 말이에요? 저는 이곳에서 돈벌어서 가족들의 보탬이 되어주기 위해 왔어요."

"아...그렇구나. 힘들지 않아?"

"힘들지 않는다면 거짓말이겠죠. 하지만 주인님과 사모님, 그리고 도련님이 저를 친절하게 대해주셔서 어느 정도 버틸 수 있어요."

친절이라고? 나는 너에게 해 준 것이 없는데? 그런 생각을 하고 있을 때 이번에는 에이코가 내게 말을 걸었다.

"아...저기 도련님, 학교라는 곳은 어떤 곳이에요?"

학교? 그 질문에 나는 어떻게 대답해야 할지 모르겠다. 나는 딱히 학교를 좋아하지 않았다. 그냥 부모님 등쌀에 밀려서 다니는 것이나 다름없었기 때문이다. 그렇지만 에이코는 호기심 가득하고 눈을 번뜩이며 나를 바라보았다.

"어...음...학교는...그래, 공부를 할 수 있는 곳이야."

"공부요? 무슨 공부를 하는 거예요?"

"한자도 배우고, 수학도 배우고, 지리도 배우는 곳이지."

나의 대답에 이번에는 에이코는 부러움 가득한 말투로 대답했다.

"도련님은 좋겠네요. 한자도 읽을 줄 알고 중국 이외의 세상을 알고 저처럼 돈을 벌려 하지 않아도 되니까요."

에이코의 말에 나는 왠지 어딘가 미안함을 느꼈다. 대체 왜지? 난 그녀에게 무슨 잘못을 하지 않았는데도? 아무튼 나는 화제를 돌리기 위해 그녀의 과거에 대해 묻기 시작했다.

"저기, 그럼 말이야, 너는 과거에 어떤 아이였어? 궁금해졌어."

"제 과거 말이에요? 과거에 저는 그냥 조용했어요. 오빠랑 남동생이 학교 다닐 때 저는 엄마랑 함께 집안일도 돕고, 쉬는 날이면 친구들과 놀고 그랬죠. 딱히 특별한 건 없었어요."

"아, 그렇구나. 근데 말이야 너는 일본어를 엄청 잘하는 것 같은데 누가 가르쳐 줬어?"

"일본어요? 그건 저희 오빠가 가르쳐줬어요. 일본에서 일하려면 어느 정도 일본어를 알아야 한다면서 조금 배웠어요. 그리고 여기 와서 능숙하게 된 거라고 할 수 있죠."

에이코의 대답에 나는 그녀가 대단하다는 생각이 들었다. 나는 조선말을 하나도 모르지만 에이코는 학교도 다니지 않았는데도 일본어를 이렇게 잘 하지 않는가. 또 나는 청소라면 귀찮아하지만 에이코는 그런 기색 하나 없이 자신의 일을 열심히 하고 있다.

아무튼 그날 이후, 에이코는 내가 학교를 다녀올 때와 집에 돌아올 때면 항상 인사를 해 주었고, 나에게 오사카는 어디고 교토는 어디냐는 질문부터 시작해서 서방세계에 대해서도 묻기 시작했다. 나는 에이코의 질문에 일일이 답하는 것이 때때로 귀찮기는 하였지만 내게 말 걸어주는 사람이 한 명 더 생겨서 무척 기뻤으며 내게 행복한 나날들이 계속되기 시작하였다.

그러다 모처럼 쉬는 날이 되었다. 학교에서 국어 시간에 읽을 책을 사기 위해 이번에 새로 생긴 백화점으로 가기로 하였다. 동시에 그곳에서 겸사겸사 구경도 하기로 하였다. 외출 준비를 마치고 나는 집으로 나서려 했을 때 에이코와 마주치게 되었다.

"아, 안녕하세요 타로 도련님. 오늘은 어디 가나요?"

"국어 시간에 읽을 책을 사기 위하여 이번에 새로 생긴 백화점으로 가기로 했어."

"백화점? 그게 뭐 하는 곳인가요?"

"음...뭐라고 말해야 하나. 아, 여러 가지 제품들을 모아놓고 판매하는 곳이야. 옷도 팔고, 물건도 팔고, 먹을 것도 파는 곳이지."

"우와, 신기해요. 세상에 그런 곳도 있나요?"

이번에도 에이코는 호기심 가득한 눈으로 말했다. 나는 그런 에이코에게 백화점을 한번 구경시켜 주고 싶어했다. 마침 부모님도 일하러 나갔으니까.

"그럼 에이코, 나랑 함께 백화점 구경 가지 않을래?"

"네? 그래도 괜찮아요? 하지만 저는 지금 돈도 없을텐데..."

"괜찮아. 그냥 구경만 하고 가도 누가 뭐라 하지 않아. 부모님이 오시려면 아직 멀었으니까. 오늘 하루는 나랑 같이 놀아줄래?"

"도련님이 그렇다면야......좋아요. 저도 백화점이라는 곳 한번 가보고 싶어요."

그리하여 나는 에이코와 함께 백화점에 가게 되었다. 백화점에 도착했을 때 에이코는 어린아이 마냥 이리저리 뛰어 다니며 돌아다니기 시작했다.

"우와, 도련님. 이 옷들 좀 봐보세요. 마치 귀족들이 입을 것 같이 생겼어요. 저기 반지랑 목걸이들은 반짝반짝 빛이 나고 있어요."

즐거워하는 에이코를 보며 나도 덩달아 미소가 나오기 시작했다.

"그렇게 좋아?"

"네. 마치 새로운 세계에 들어온 기분이에요. 타로 도련님은 그렇지 않나요?"

"그래, 나도 여기 오니까 기분이 좋구나. 에이코, 이제 에스컬레이터를 타고 책이 있는 곳으로 가자."

나는 에이코의 손을 잡고 에스컬레이터를 타게 되자 에이코는 에스컬레이터를 처음 타봤는지 나의 팔을 꽉 잡고 요리조리 고개를 돌리기 시작했다.

"도련님, 이 계단 참 신기해요. 어떻게 저절로 움직이는 걸까요?"

"그러게. 기술의 발전 때문이랄까?"

나랑 에이코는 백화점 내에 있는 서점에 가게 되었다. 나는 일단 수업에 필요한 책을 들고 계산대에 가려 하지만 에이코는 한참 동안이나 진열된 책을 쳐다보고 있었다. 아마 책 속의 그림들이 그녀의 마음에 들었던 모양이었다.

"에이코, 책 하나 사줄까?"

내 말에 에이코는 고개를 힘들며 대답했다.

"아니에요, 괜찮아요. 전 어차피 글도 읽을 줄 모르는데 제 주제에 책은 무슨 책이에요."

"책 속의 글은 내가 알려주면 되잖아. 너는 똑똑하니까 아마 책 속의 글들을 빨리 알게 될 거야.
"말씀은 고마워요. 하지만 그러면 도련님 돈이..."

"돈 걱정은 하지 마. 내가 사주고 싶어서 사주는 거니까."

그러자 에이코는 어떤 책을 고를까 하며 고민하기 시작했다. 그리고 이내 한 책을 내게 가져왔다.

"도련님, 저는 이 책을 고르겠어요."

책 이름은 마지막 수업이었다. 나는 내 책과 에이코 책을 함께 계산하였다. 그렇게 우리는 각자의 책을 산 후에 한 층 내려가 전통적인 디저트 카페에 가게 되었다. 나는 녹차를 에이코는 양갱을 시켰다. 에이코는 주문한 음식을 기다리는 내내 생각 속에 푹 빠진 듯했다. 나는 그녀가 문득 무슨 생각을 하는지 궁금해서 부르자 에이코가 화들짝 놀라며 대답했다.

"아, 죄송해요. 잠시 옛 생각 좀 하고 있었어요."

"그렇구나. 무엇을 회상하고 있었는데."

"제 친구요. 친구는 저보다 더한 최악의 상황을 처했는데도 어떻게든 살아가는 모습이 보기 좋았거든요. 또 친구랑 이야기하다 보면 그날 힘든 일도 싹 잊어버리고 말죠."

"참 좋은 친구였겠네. 그 친구도 조선에 있는 거지?"

내 말에 갑자기 에이코는 슬픈 얼굴을 하며 대답했다.

"아니요. 친구는 이제 이곳에 없어요. 왜냐면요 하늘나라로 갔기 때문이에요."

"그게 무슨 소리야?"

그러자 에이코는 울먹이며 말하였다.

"그게...친구는 가족을 잃게 되면서 홀로 살아가게 되었는데...제가 한번은 친구의 일을 도와주기 위해 함께 품팔이를 하고 집에 돌아가는데 그만 친구가 일본군과 부딪히고 말았어요. 하지만 그때 군인아저씨가...군인아저씨가...친구를 총으로 쏘고 말았어요."

"에이코..."

나는 에이코에게 무슨 말을 해주어야 할지 모르겠다. 그저 잠깐의 침묵만 나타날 뿐이었다. 그때 고급스러운 유니폼을 입은 여직원이 그 침묵을 깨고 주문한 음식을 들고 나왔다.

"오래 기다리셨습니다. 주문하신 녹차와 양갱 나왔습니다."

직원이 음식을 내려놓자 에이코는 말없이 양갱을 먹기 시작했다. 나 역시 녹차를 한 모금 마시고는 에이코에게 사과를 하였다.

"미안해, 혹시 나 때문에 상처를 받게 된다면..."

하지만 에이코는 이내 미소를 지으며 말했다.

"그런 소리 말아요, 타로 도련님. 그래도 저를 생각해주신 도련님이 있어 주는 것만으로 항상 감사해요."

그 말에 나는 괜스레 쑥스러워졌다. 나는 다시 고개를 돌려 그녀를 바라보며 말했다.

"그거 맛있어?"

"네, 엄청 달고 맛있어요. 아, 저 혼자 먹기는 그러니까 도련님도 한번 드셔보세요."

에이코는 양갱 하나를 내 쪽으로 건네지 않는가. 나는 살짝 부끄러웠지만 일단 한번 먹어보았다. 단 음식은 그리 좋아하지 않았지만 그녀가 건네어 준 양갱은 맛있었다.

"어때요? 정말 맛있죠?"

"어...그러네."

맛있게 양갱을 먹는 에이코의 모습을 보며 나는 마음속 독백을 외쳐보았다.

'에이코...너에게 그런 아픈 과거가 있었구나. 너의 미소가 사라지지 않게 내가 항상 지켜줄게.'

그렇게 우리의 처음이자 마지막 데이트는 이렇게 끝나고 말았다.

에이코도 우리 집에 온 지 몇 개월이 지났을까, 벌써 학교에서는 새 학기가 시작되었다. 나는 친구 준과 놀고 온 후 내 방에 들어가자 졸고 있는 에이코를 발견했다. 나는 그런 그녀를 가까이 다가가 깨우려 하였지만 쉽사리 용기가 나지 않았다.

'엄청 깊게 자고 있는데...많이 피곤했나보구나.'

그때 나는 에이코가 쥐고 있는 종이가 눈에 띄었다. 나는 찬찬히 종이에 쓰여진 글을 읽어보았다. 그것은 조선글이었다.

'저것이 바로 조선어인가? 참 신기하게 생겼네.'

그때 잠에서 깬 에이코가 나와 마주치더니 그녀는 또다시 얼굴을 붉히며 자리에서 벌떡 일어섰다.

"어머나, 죄송해요. 그만 타로 도련님 방에서 졸고 말았네요. 그만 무례를 저지르고 말았네요."

그런 모습에 나는 한번 웃으며 그녀의 머리를 쓰다듬어주었다.

"타로 도련님?"

"하핫, 너도 그런 재밌는 구석이 있는 아이구나. 그럼 내 방에서 졸았으니까 네가 들고 있었던 종이에 대해 알려줄 수 있어?"

"아, 좋아요."

에이코는 바로 내 옆에 기대어 종이를 내 쪽으로 내밀었다. 그리고 손가락으로 가르키면서 하나하나 그 글자의 의미를 알려주었다.

"여기 있는 큰 글씨는 제 진짜 이름이에요. 한영자라고 읽어요."

"한용자?"

"으음, 아니에요. 따라해보세요 한, 영, 자."

"한용...아니 영자."

"헤헷 맞아요."

그렇게 나는 그녀의 진짜 이름을 알 수가 있었다. 그녀의 진짜 이름은 에이코가 아닌 영자였던 것이다. 발음하기 쉽지 않은 이름이었지만 그렇기에 특별해 보이는 이름이었다.

"그럼 영자, 여기 있는 문장은 뭐야?"

"아, 이거는요 아빠가 써주신 시에요. 춘향 이야기에 나오는 시인데요, 마치 현재의 일본과 우리의 모습을 보여주는 것 같다면서 저에게 가르쳐주신거에요."

"그렇구나. 혹시 읽어줄 수 있어?"

"네 좋아요."

에이코는 차근차근 그 시를 일본어로 읊조리려 할 때였다. 그때 기막힌 우연의 일치로 갑자기 땅이 흔들리지 않는가. 에이코는 겁먹은 얼굴로 나를 바라보았다.

"꺄악, 도련님 땅이 흔들리기 시작해요!"

아마 보아하니 지진이 시작되려는 듯했다. 나는 벌벌 떠는 에이코를 진정시키며 손을 잡았다.

"아마 지진이 일어나는 것 같은데, 위험해지기 전에 어디 몸을 피할 곳을..."

나는 에이코랑 함께 책상 속으로 들어갔다. 책상 밑에 들어가 있는 동안 에이코는 계속 불안에 떨어있었다. 보아하니 지진을 처음 겪는 것 같아 보였다. 나는 에이코의 몸을 내 쪽으로 안기 시작했다.

"타로 도련님, 이 지진이 끝나기는 하겠죠?"

에이코의 말에 나는 속삭이듯이 대답했다.

"넌 그동안의 힘든 일들도 모두 다 이겨냈잖아, 그러니 이런 지진도 곧바로 끝날 거야. 왜냐면 내가 지금 너를 지키고 있으니까."

에이코는 슬며시 내 손을 잡았다. 우리는 서로를 의지하며 이 지진이 끝나기만을 기다리고 있었다. 그렇게 몇 시간이 지났을까, 정신을 차렸을 때 다행히 지진이 멈추었고 나와 에이코도 무사했다.

"타로 도련님, 무사하셔서 다행이에요!"

"에이코...너도 살아있어 줘서 다행이야."

그렇게 지진이 난 지 며칠이 지났을까, 마을 사람들 사이에 이상한 소문이 돌기 시작했다. 조선인들이 폭동을 일으켰다나 조선인이 우물에 독을 풀었다느니 저주를 퍼부었다느니 모든 원인을 다 조선인으로 몰아가는 것이다. 그런 허무맹랑한 소문이 사실일 리가 없겠다만 놀랍게도 많은 주민들이 그렇게 믿고 있었던 것이다.

저녁이 되면 많은 조선인들이 헛소문의 피해로 죽어 나간다. 나는 이들이 딱하게 느껴졌지만 그렇다고 중학생인 내가 지금 당장 할 수 있는 것은 없었다. 한편 엄마랑 아빠는 당분간 에이코를 집 밖에 나가 심부름을 시키려고 하지 않았으며 에이코도 외출을 자제하였다.

학교가 끝난 어느 날, 준과 함께 하교를 하고 있었다. 그때 건너편에 에이코가 장을 보러 간 듯했다. 나는 소리 내어 에이코를 부르러 할 때였다.

"거기, 너. 쥬고엔고짓센 이라고 말해 봐."

죽창을 든 아저씨들이 에이코에게 다가가서 발음을 시켜보는 것이었다. 에이코는 겁을 먹었는지 약간 어눌한 발음으로 쥬고엔고짓센 이라고 말하자 아저씨들은 기다리듯이 에이코를 가슴을 죽창에 찔려 넣었다.

"에이코!"

놀란 나는 에이코에게 다가가려 했을 때였다. 준은 나의 손목을 잡고 내게 소리쳤다.

"야, 너 미쳤어! 저 조선인에게 다가가다가 너까지 오해당하면 어쩌려고 그래!"

준의 만류로 나는 차마 다가가지 못한 채 에이코의 마지막 모습을 지켜보았다. 분명 너를 지키겠다고 다짐했건만 방관만 하는 내 자신이 원망스러웠다.

그렇게 잘 나가던 다이쇼 시대도 끝나고 새 시대가 찾아온 지도 많은 세월이 지났다. 세계를 장악할 줄 알았던 우리나라도 결국 패배로 막을 내렸고 그녀의 나라도 우리에게서 벗어나게 되었다. 이제 이런 일들은 오래된 이야기가 되었다. 나는 벌써 손자까지 본 할아버지가 되었지만 아직도 그때의 참극을 잊지 못한다. 나는 조심스레 영자가 졸던 날 그녀가 움켜쥐고 있었던 종이를 꺼내 그동안 배운 한국말로 그 시를 읊조려 보았다.

금빛의 아름다운 잔에 담긴 가주(佳酒)는 천 백성의 피요,
풍악 소리 높은 곳에 원성 소리 높더라.
옥쟁반에 담긴 맛있는 고기는 만백성의 기름을 짠 것이니,
촛농 떨어질 때 백성 눈물 떨어지고